PIERRE BONNARD

Antoine Terrasse

Pierre Bonnard

GALLIMARD

« *Mais celui-là m'enrichit qui me fait voir tout autrement ce que je vois tous les jours.* »

Paul Valéry.

Il n'a peint, dirait-on, que pour le plaisir de peindre, tant il montre de spontanéité et de fraîcheur, retrouvant dans la couleur comme un bonheur primitif. Ses inventions sont pour nous d'autant plus émouvantes qu'elles ont pour point de départ l'observation de la vie la plus simple, à toutes les heures et en chaque saison. Mais, à considérer cette œuvre dans son ensemble, on voit aussi qu'une unité profonde y relie toutes les découvertes; un cheminement impérieux mène des petites toiles peintes en Dauphiné aux somptueuses compositions du Cannet, à travers l'étonnante variété des moyens d'expression. Une telle continuité n'eût pas été possible sans qu'à la fantaisie tant célébrée de Bonnard s'ajoutât une secrète rigueur. Une volonté très lucide alliée à une sensibilité primesautière, telle est la première marque d'une nature particulièrement riche et d'autant plus difficile à réduire à des traits simples qu'elle offre souvent de ces apparences contradictoires.

Bonnard est enjoué et grave, réservé et tendre; on trouve chez lui la force et la douceur, l'imprécision et l'ordre. A peine a-t-on parlé de sa prudence qu'il faut évoquer son audace — de sa folie qu'il faut montrer sa raison; il est distrait, mais parce que singulièrement attentif. Au moins est-il toujours lui-même : foncièrement indépendant. « Je ne suis d'aucune école; je cherche uniquement à faire quelque chose de personnel », disait-il à vingt-quatre ans. Et dans sa quatre-vingtième année : « En art, il n'y a que des réactions qui comptent. » Dans cette indépendance innée, jugée essentielle à la réalisation de l'œuvre, n'entre aucune part d'indifférence. Bonnard sait aimer et admirer ceux qui l'entourent. Mais tendre il fuit l'effusion — comme il oppose des paradoxes aux doctrines trop affirmées.

9

Pierre Bonnard dans son atelier du Cannet, 1945.

Il se méfie des enthousiasmes. D'où cette rapide nécessité pour lui de rester un peu à l'écart et, alors qu'il est très proche, de garder quelque distance.

Il semble que sa vocation soit née très tôt : quelques carnets de ses quinzième et seizième années montrent sa curiosité pour le mouvement et la vie, un sens de l'observation empreint d'humour; il peint à vingt ans des petits paysages qui évoquent Corot par l'harmonie des tons et la franchise des valeurs. Puis il se lie d'amitié avec Maurice Denis, Édouard Vuillard, Xavier Roussel, Paul Sérusier. Ensemble ils reçoivent le message de Gauguin. « Le mystère de son ascendant fut de nous offrir une ou deux idées, très simples, d'une vérité nécessaire, à l'heure où nous manquions totalement d'enseignement », écrit Maurice Denis. « Il nous libérait de toutes les entraves que l'idée de copier apportait à nos instincts de peintre... Il nous donnait droit au lyrisme. » Avec Gauguin ils admirent les Primitifs, Degas et Cézanne. Bonnard est attiré aussi par de très modestes images venues du Japon. « J'avais compris au contact de ces frustes images populaires que la couleur pouvait comme ici exprimer toutes choses sans besoin de relief ou de modelé. Il m'apparut qu'il était possible de traduire lumière, formes et caractère rien qu'avec la couleur, sans faire appel aux valeurs. » Découverte essentielle dont on ne cessera de constater les effets, mais toujours au gré de son humeur : il mêle l'une à l'autre les influences, conjugue les apports extérieurs, les confronte à son jugement et à son expérience.

Il peint clair d'abord, et simplifie les formes dans un trait qui en accentue le caractère; on retrouve ici Gauguin et les Japonais. Puis il assombrit ses teintes, donnant juste quelques taches de lumière sur lesquelles se découpent les personnages; ce sont tous les passants de Paris qu'il retrouve en hiver dans le gris de la ville et autour de la lampe. Petits tableaux dont la mise en page évoque Degas et l'instantané photographique, aux sujets imprévus, où il montre beaucoup d'esprit, de tendresse, d'amusement devant la vie, et ce sens de l'intimité qu'il partage avec Vuillard. Il va peindre ensuite en Ile-de-France et dans la vallée de la Seine; la lumière réapparaît dans ses toiles, voilée d'abord et comme tamisée. C'est le moment où les Fauves jouent de toutes leurs couleurs. Bientôt arrivent les Cubistes. Bonnard, on le verra dans ses préoccupations nouvelles de composition et notamment dans la disposition rigoureuse de certaines de ses natures mortes, considère longuement leurs travaux. Mais il poursuit ses recherches dans la voie des Impressionnistes, qu'il a toujours admirés, tout en jugeant leur vision trop soumise à la nature. Période de transition, inégale et incertaine, au cours de laquelle il voyage en Angleterre, en Belgique, en Hollande.

Puis il découvre la lumière du Midi; désormais l'histoire de sa peinture est celle d'une décisive progression de la couleur, quelque peu affolée d'abord, retenue ensuite dans l'armature plus solide de la composition et du dessin, exaltée enfin jusqu'à l'incandescence. Alors que les Impressionnistes recomposent les couleurs du réel, Bonnard les transpose, semble oublier le ton des objets, crée un monde nouveau où les feuillages, la mer, les champs et les fleurs échangent l'or, le bleu, le vert et l'orangé. Les paysages de Vernon, les jardins du Cannet sont imprégnés d'une lumière irréelle où brûlent toutes les gemmes.

« Nommer un objet, disait Mallarmé, c'est supprimer les trois quarts de la jouissance du poème, qui est faite du bonheur de découvrir peu à peu. Le suggérer : voilà le rêve. » Les personnages et les scènes se détachent furtivement de l'atmosphère grise et feutrée de la ville; les toits, les maisons, les sentiers et les montagnes émergent comme insensiblement du soleil; une figure apparaît soudain que nous n'avions pas vue dans le jour éblouissant... Nées de l'observation amusée, les premières toiles nous donnent à résoudre une énigme et nous voyons alors que tout est là, le mouvement, les caractères, la vie, évoqués par un conteur malicieux. Il y a du mystère dans les suivantes, faites d'une attention plus grave, dont la mélancolie même n'est pas absente, nées elles aussi de la plus simple réalité cependant : le jardin vu de la fenêtre, quelques fruits dans une coupe, d'humbles coquelicots, le cabinet de toilette et, dans l'ombre chaude, la femme. Mais face au monde extérieur Bonnard affirme sa présence. Après son étonnement et sa surprise il nous montre son émerveillement; de l'émotion qu'il éprouve à contempler l'univers il fait naître un monde idéal. Comme Cézanne et Chardin par des pommes ou un pichet, il suggère par la plus simple fleur des champs cette « secrète royauté » dont parle André Malraux.

Il transcrit son émotion d'un dessin rapide et nerveux, allusif et précis à la fois, tout frémissant de vie. « Le dessin, dit-il, c'est la sensation. » Des traits et des points constituent aussi des repères pour les couleurs, qu'il assemble à l'atelier. C'est alors au prix d'un long effort qu'il arrive à retrouver dans sa peinture la spontanéité de son regard. Bouleversant toutes les règles acquises, écartant les notions classiques de perspective et de modelé, il fait naître la lumière et les formes par le jeu des masses colorées, les rapprochements les plus imprévus — sans faire appel aux valeurs... « Le tableau est une suite de taches qui se lient entre elles, et finissent par former l'objet, le morceau sur lequel l'œil se promène sans aucun accroc. »

Si loin qu'il aille dans sa transfiguration, Bonnard ne quitte jamais tout à fait le sol; il demeure près de nous dans un monde ouvert, habité, généreux, où les fleurs et les fruits s'offrent à profusion. Comme Renoir il a choisi de ne montrer que des bonheurs. Peintre de l'émotion, il est proche de Chardin et de Corot; il a leur patiente ferveur, le même goût de la nuance, partage avec eux ce don d'émerveillement devant la vie. « Pour ce qui me concerne, disait Corot, je crois avoir le sentiment, c'est-à-dire un peu de poésie dans l'âme, qui me porte à voir, ou à compléter ce que je vois, d'une certaine façon... » C'est ainsi que, ouverte à toutes les nouveautés mais lentement élaborée dans la plus complète liberté, originale et audacieuse, cette œuvre s'inscrit tout naturellement dans la tradition de la peinture française. Il faut revenir ici sur cette alliance savamment maintenue de l'attention la plus scrupuleuse avec l'extrême fantaisie; de cette alliance naît tout son charme. L'homme aussi était grave sous l'enjouement, tendre dans la pudeur, secrètement passionné, et plein de raffinement dans sa simplicité.

I

PREMIÈRES ANNÉES

FRANCE-CHAMPAGNE
PB
E. DEBRAY
PROPRIÉTAIRE
LA HAUBETTE-TINQUEUX-LEZ-REIMS
BUREAU DE REPRÉSENTATIONS
8, RUE DE L'ISLY PARIS
Imp. Edw. ANCOURT & Cie 83, Faubg St Denis, PARIS

« Et tel qu'en autruy je me découvre moi-même... »

Maurice Scève.

Pierre Bonnard est né à Fontenay-aux-Roses le 3 octobre 1867. Moins active qu'au temps des rois la culture des roses se pratiquait encore dans ce village où déjà l'on accédait facilement par le chemin de fer d'Orsay. Son père, Eugène Bonnard, fonctionnaire au Ministère de la Guerre et grand amateur de jardins, avait choisi d'y demeurer. L'été ramenait la famille au Grand-Lemps, dans le Dauphiné, province natale des Bonnard : Pierre peindra souvent, plus tard, la maison du Clos — où il jouait avec Charles son frère aîné et Andrée sa sœur cadette — le verger, les prés et les vignes alentour. Le Dauphiné est un pays très divers. Petits vallons, lacs profonds, sombres forêts de sapins peuplées de grottes et de cascades y alternent avec des plaines d'une incandescente clarté. Tout jeune Bonnard aimait déjà les excursions dans la montagne, au bord des torrents; dans cette nature « à la beauté parfois étrange », il goûtera, adolescent, la sensation de la solitude et de la pureté. Dauphinois par son père, il était alsacien par sa mère, Elizabeth Mertzdorff; à ces origines il devra certains traits de son caractère, sa réserve et son goût farouche de l'indépendance.

A l'âge de l'école ses parents le mettent en pension à Vanves; il poursuivra ses études aux lycées Louis-le-Grand et Charlemagne. Très bon élève, aimant les lettres et se passionnant pour la philosophie, il obtient rapidement son baccalauréat. Cependant il dessinait aussi et peignait avec un grand plaisir; une petite aquarelle de la Seine à Paris, dans des coloris très tendres, révèle la finesse de sa vision... S'il devient étudiant à la Faculté de Droit pour suivre le désir de son père, il s'inscrit en même temps à l'Académie Julian. Il y rencontre Paul Sérusier, qui est le massier de son atelier, Maurice Denis, Henri-Gabriel Ibels, Paul Ranson, et pré-

15

Affiche France-Champagne, 1891.

Vers 1890.

« Le Clos », au Grand-Lemps.

Dans les environs du Grand-Lemps, vers 1885.

pare l'examen d'entrée à l'École des Beaux-Arts où il passera un an. Il se rend tout de même au Quartier Latin, et dessine le soir de souvenir les jolis visages aperçus dans l'omnibus qui le ramène rue de Parme, où il habite chez sa grand-mère. Il réussit à passer sa licence. De retour au Grand-Lemps pour les vacances il fait un charmant portrait de sa jeune sœur et peint de menus paysages tout imprégnés de cette lumière du Dauphiné qui ravissait Jongkind. Ces petites toiles nous montrent les maisons du bourg et les châteaux des environs, Virieu, le lac de Paladru, les montagnes dans le lointain et le bec de l'Échaillon. Plus larges que hautes elles font songer à Corot par le jeu et l'harmonie des valeurs — cette perception très sensible, la notation très fine des ombres et des lumières — par le sentiment aussi : une sorte d'humilité, de fraîcheur tout ingénue devant le spectacle de la nature.

A la rentrée, Sérusier qui revient de Pont-Aven lui montre ainsi qu'à Denis, Ibels et Ranson un petit paysage peint sous la dictée de Gauguin, « paysage informe à force d'être synthétiquement formulé en violet, vermillon, vert Véronèse et autres couleurs pures telles qu'elles sortaient du tube, presque sans mélange de blanc [1] ». Cette petite huile montrée peu après

1. Maurice Denis.

Le perdreau, 1889
Paysage du Dauphiné, vers 1888. ▶

à Édouard Vuillard et à Xavier Roussel, élèves de l'École des Beaux-Arts, va devenir le témoin, le « talisman » de la doctrine nouvelle. Il s'agit dans l'esprit de Gauguin de ne garder du motif que l'essentiel; de substituer à la représentation de la nature l'interprétation d'une idée, de remplacer l'image par le symbole. Il faut exalter la couleur pure, et simplifier la forme dans un trait qui en accentue le caractère. L'opposition semble complète avec l'impressionnisme, fidèle à la nature, à toutes les nuances de la lumière, à une représentation classique de la perspective, dont les jeunes peintres reconnaissent pourtant toute la valeur mais dont il faut craindre les délectations. Elle est surtout complète avec le pauvre réalisme des professeurs. C'est pourquoi le message de Gauguin revêt une telle importance. Il leur apprend à regarder par eux-mêmes, les exhorte à suivre leur propre émotion et à la transcrire aussi sincèrement, aussi fidèlement que possible. Il veut établir pour eux comme pour lui-même « le droit de tout oser ». Nous sommes en novembre 1888 : Maurice Denis a tout juste dix-huit ans, Bonnard vingt et un, Sérusier, le plus âgé, vingt-cinq. Il faut insister sur cette rencontre de très jeunes artistes, intelligents et cultivés. Ensemble ils admirent le monde imaginaire d'Odilon Redon, l'idéalisme de Gustave Moreau, la simplicité ornementale des fresques de Puvis de Cha-

18

Le château de Virieu, en Dauphiné, vers 1888

vannes. Dans l'échange des idées et des travaux chacun découvre sa propre personnalité. La tendance nouvelle aussi sera plus facile à imposer si l'on est plusieurs à la défendre : Sérusier, qui a le goût de l'ordre et se plaît aux théories et aux systèmes, décide la formation d'un groupe; ce sera les « Nabis » — ou prophètes en hébreu — chargés d'annoncer au monde le nouvel évangile de la peinture.

Bonnard se méfie un peu des enthousiasmes et des tentations de l'intelligence; il résiste d'abord à ces formules trop affirmées et leur oppose volontiers des paradoxes. Mais l'Exposition du café Volpini en juin 1889 est étonnante; il y a là entre des tableaux d'Émile Bernard, d'Anquetin, de Schuffenecker, dix-sept toiles de Gauguin, paysages de Bretagne, d'Arles et de la Martinique, œuvres de couleurs vives cernées d'un trait volontaire, dont l'aspect décoratif évoque les fresques des Primitifs. « Au lieu de fenêtres ouvertes sur la nature, comme les tableaux des impressionnistes, c'étaient des surfaces lourdement décoratives, puissamment coloriées et cernées d'un trait brutal, cloisonnées, car on parlait aussi, à ce propos, de *cloisonnisme,* et encore de *japonisme.* Nous retrouvions, dans ces œuvres insolites, l'influence de l'estampe japonaise, de l'image d'Épinal, de la peinture d'enseigne, de la stylisation romane[1]. » Il demeure impressionné et peint quelques mois plus tard, au retour d'une période militaire, une petite toile qui est un jeu de bleus et de rouges vifs — les couleurs des uniformes — cernés de bistres, et s'enlevant sur un fond vert et or; c'est « L'Exercice », plein d'humour, où il semble s'être amusé aussi au maniement

20   1. Maurice Denis.

des tons purs, mais qui n'en révèle pas moins sa première adhésion aux tentatives nouvelles.

Le goût en cette fin de siècle est à l'ornement, à la beauté recherchée de chaque objet. Coupes en forme de coquillages, vases en forme de calebasses, chandeliers en tiges, lustres en bouquets, les lignes fines ou enflées s'inspirent du décor végétal. Ce ne sont partout que fleurs et feuilles de cristal ou d'acier soumises à la chaleur d'un gigantesque incendie; on assiste à une sorte de résurgence du baroque appliquée aux matériaux nouveaux. C'est aussi l'influence du style préraphaélite anglais; le tableau de chevalet et la statue ne suffisent plus, il faut intégrer l'art à la vie. Les Nabis sont sensibles à cet aspect social de la fonction de l'art : « Notre génération a toujours cherché les rapports de l'art avec la vie », dira Bonnard lui-même. « A cette époque j'avais personnellement l'idée d'une production populaire et d'application usuelle : gravures, meubles, éventails, paravents, etc. » La première œuvre qu'il vend, en 1889, est un projet d'affiche pour la marque France-Champagne. Décor de la rue, tableau fixé à la façade des maisons, l'affiche doit être lisible, simple, frappante; elle concentre le style d'une époque et en suggère plus tard l'esprit comme une page de roman. Celle de Bonnard nous rappelle ce goût des années 1900 pour les lignes dansantes et les volutes. On y voit une jeune femme; elle tient d'une main une coupe de champagne dont la mousse déborde, de l'autre un éventail replié qui souligne d'un trait les lettres de France-Champagne. Sa chevelure et sa gorge opulente font penser aux dessins de Jules Chéret; mais la mise en page est nouvelle, on n'aperçoit du modèle que la tête et le haut du corps, l'allongement du bras désigne la coupe dont la mousse suggestive envahit toute l'image. Aux caractères d'imprimerie s'opposent les lettres dessinées au pinceau avec la plus grande fantaisie : très remarquée à son apparition sur les murs en 1891 cette affiche étonnera Toulouse-Lautrec. Pour lors elle rapporte à Bonnard cent francs; à cette nouvelle, lui écrit sa mère, son père ravi a dansé dans le jardin. Fort de ce succès et malgré son échec au concours de Rome — dont le sujet était cependant « Le triomphe de Mardochée » — il décide de se consacrer uniquement à la peinture et loue son premier atelier rue Le Chapelais, aux Batignolles.

Avec ses amis il parcourt les musées et les expositions; Théo Van Gogh leur montre chez Goupil les œuvres de son frère Vincent, qu'ils peuvent voir encore dans la boutique du père Tanguy, rue Clauzel, ainsi que celles de Cézanne; ils admirent Manet et Degas. Bonnard est attiré aussi par de très modestes images venues du Japon, qu'on pouvait se procurer dans les Grands Magasins. « C'est là que je trouvais pour un ou deux sous des crêpons ou des papiers de riz froissés aux couleurs étonnantes, dira-t-il un jour à Gaston Diehl. Je remplis les murs de ma chambre de cette imagerie naïve et criarde. Gauguin, Sérusier se référèrent en fait au passé. Mais là ce que j'avais devant moi c'était quelque chose de bien vivant, d'extrêmement savant. » Au contact de ces images populaires il comprit « qu'il était possible de traduire lumière, formes et caractère rien qu'avec la couleur, sans faire appel aux valeurs ». Déjà Manet et Degas avaient trouvé chez les Japonais des idées nouvelles, cette opposition franche des couleurs sombres et claires, l'asymétrie de la mise en page; peut-être ont-ils appris à leur contact à choisir comme prétexte tous les aspects de « la vie qui passe », de l'animation de la rue à l'imprévu d'un geste; Bonnard est frappé immédiatement par cet étrange

pouvoir de suggestion. Les estampes japonaises offrent aussi de très subtiles harmonies de couleurs, comme ces alliances de mauve et d'orangé d'Outamaro, soulignées d'un noir profond, qu'il peut voir à l'Exposition d'Art du Japon qui s'ouvre en avril 1890 à l'École des Beaux-Arts. Aux lignes concises et légères s'oppose la densité d'un détail, ces étoffes minutieusement reprises par exemple ; la composition seule suggère l'espace sur le fond monochrome ; il se souviendra de cette technique dans ses premières lithographies. Comme il le fera toujours, il conjugue les apports

25

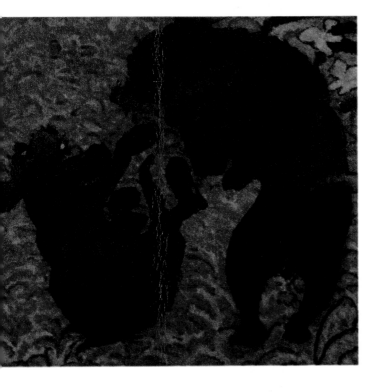

◄ *Mademoiselle Andrée Bonnard avec ses chiens*, 1890.

◄ *La demoiselle au lapin*, 1891.

Les deux chiens, 1891.

Projet de meuble, 1891. ▶

extérieurs, les confronte à son jugement et à son expérience; si vives que soient les impressions reçues, il n'est pas dominé par elles. Il peint au Grand-Lemps sa sœur Andrée, qui va bientôt épouser le jeune musicien Claude Terrasse; la jeune fille revient du verger, ses deux chiens courant autour d'elle; l'élégance des lignes, le charme des proportions, le raffinement des couleurs claires font oublier le parti pris décoratif, la stylisation des feuillages et des fleurs, tout juste indiqués de quelques taches; le dessin d'une savante simplicité révèle un sens aigu de l'observation. Exécuté à vingt-trois ans ce tableau de dimensions importantes est d'une surprenante maîtrise.

Il expose pour la première fois en mars 1891 au Salon des Indépendants; son envoi comprend cinq tableaux et quatre panneaux décoratifs. Les panneaux représentent des « Femmes au jardin »; ils rappellent à la fois les simplifications japonaises et les lignes compliquées et serpentines du « modern style ». Les deux tendances se rejoignent dans le tableau de « La demoiselle au lapin »; les arabesques de la bordure soulignent encore l'aspect « fin de siècle ». Maurice Denis écrit à Sérusier : « Bonnard invente des rythmes nouveaux et des harmonies subtiles. » On trouve en effet une préoccupation constante dans ces toiles, celle du mouvement. Tout bouge ici, rien n'est figé. Les personnages avancent, les enfants courent, les pavés de la rue dansent devant les yeux. Les animaux s'ébattent, tels ces deux chiens dans une prairie. Et ces motifs sont repris dans différents travaux décoratifs, des projets de meubles par exemple. Des taches de couleur apportent aussi un élément d'excitation et de vie, roses faisant jouer des verts, bleus égayant les ocres et les sépias. En cette année 1891 apparaît

28

29

sur les murs l'affiche France-Champagne; Toulouse-Lautrec, enthousiaste, la montre à tous ses amis, et il lui vient à l'idée de composer aussi des affiches : Bonnard l'emmène chez son imprimeur Ancourt, qui réalisera son premier projet, pour le Moulin Rouge.

Anquetin, Toulouse-Lautrec, Émile Bernard et tous les Nabis exposent chez Le Barc de Boutteville, « gros petit homme rouquin à calotte et à favoris, connaisseur à barbichette, à bedon et à chaîne de montre, qui savait grouper les gens, ouvrir les portes et les fenêtres aux jeunes pinceaux et sourire avec bonne humeur [1] ». Pendant cinq ans on verra régulièrement leurs œuvres dans sa galerie 47 rue Le Peletier, où elles seront remarquées par Roger Marx, Gustave Geffroy, Albert Aurier et Thadée Natanson, qui vient avec ses frères d'installer rue des Martyrs la Revue Blanche.

Bonnard a vingt-quatre ans. Grand, mince, il porte une moustache et un petit collier de barbe; son regard est d'une intensité extrême derrière le lorgnon cerclé de fer. Très indépendant, comme jaloux de se préserver, il répond fièrement à une enquête auprès des jeunes artistes : « Je ne suis d'aucune école; je cherche uniquement à faire quelque chose de personnel. » Mais il est heureux de travailler en compagnie de Vuillard, dont il est déjà très proche, et de Maurice Denis — souvent suivi de Lugné-Poe, son camarade du lycée Condorcet, — avec lesquels il partage un atelier 28 rue Pigalle. Il peint « Le corsage à carreaux » et « La partie de croquet ». Cette grande toile de 1892 dont le sujet a été pris au Grand-Lemps résume les influences subies en ces premières années de peinture. Les joueurs du pre-

30   1. L.-P. Fargue.

La partie de croquet, détail

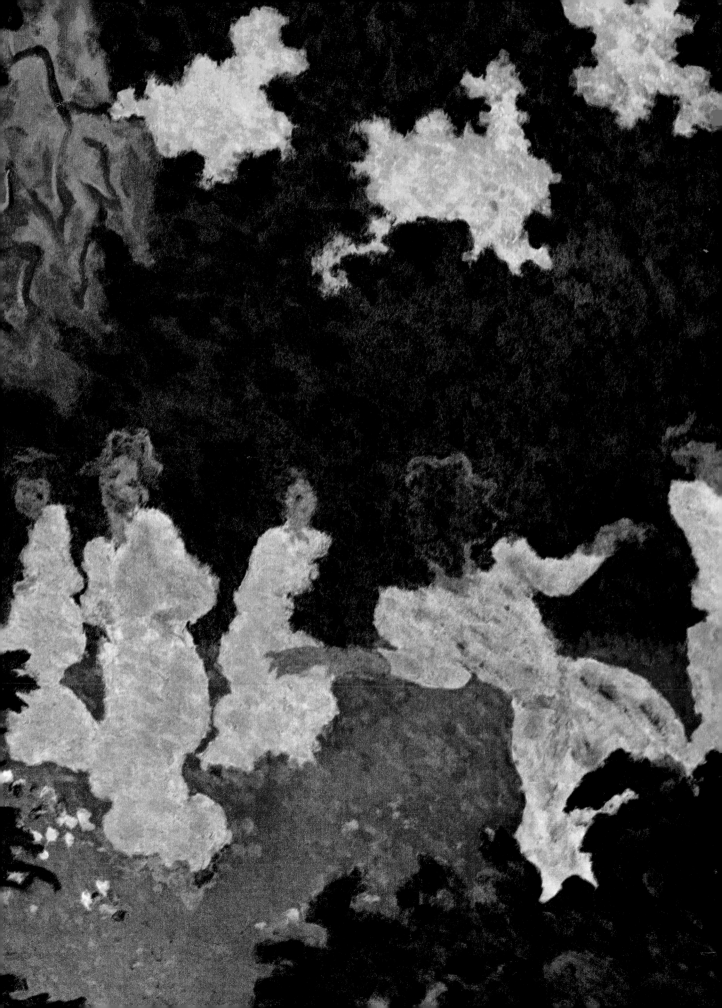

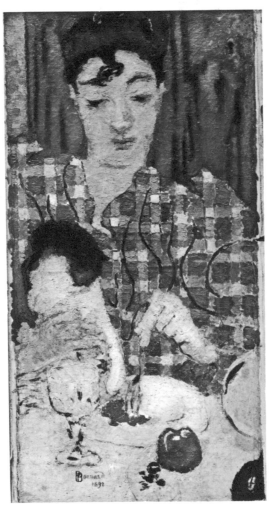

Le corsage à carreaux, 1892.

mier plan ont un peu de cet aspect hiératique que Gauguin conseillait
d'observer chez les Primitifs; les feuillages et les fleurs, comme les silhouettes
des jeunes danseuses au loin, rappellent le goût de l'époque pour la stylisation et les formes contournées; l'absence de modelé, le tachisme des
couleurs, le dessin en aplat des étoffes — comme un collage — évoquent
les Japonais. Mais on y voit la liberté, déjà, de Bonnard; de Gauguin il
a retenu surtout « le droit de tout oser » : la composition est d'une fantaisie
toute personnelle, comme sont nouvelles ces alliances de verts et d'ocres
égayés de rouge; chaque détail est essentiel à l'ensemble et la lumière du
tableau est donnée par trois taches d'or; l'humour se mêle à la tendresse
dans les traits. Le monde de Bonnard on sent aussi dès maintenant qu'il
sera voué à la féminité : le profil penché de la jeune fille qu'on aperçoit
de dos dans sa robe écossaise appelle d'autres charmants visages.

II

LES GRIS DE LA VILLE

« Ce que j'aime en peinture, c'est quand ça a l'air éternel... mais sans le dire : une éternité de tous les jours saisie au coin de la prochaine rue. »

Renoir.

Paris en ces années 1890 semble vivre un peu dans une atmosphère de fête. La richesse nouvelle n'est pas là pour tout le monde et l'existence n'est pas toujours facile mais on veut l'oublier; l'Exposition Universelle de 1889 — dont la Tour Eiffel est la reine — a été organisée à la fois pour célébrer le centième anniversaire de la Révolution et pour se consoler du désastre de 1870. La mode pour les femmes est de porter haut la poitrine sous des corsages ouvragés et leur taille est toute fine au-dessus des jupes évasées qui tombent jusqu'à terre; elles couvrent leur tête de chapeaux à plumes ou à fleurs et sont chaussées de bottines sur lesquelles joue la frange de leurs dessous clairs. Les hommes portent le melon, veston serré et gilet étroit; les élégants sont coiffés d'un haut-de-forme, mettent d'étroits pantalons rayés ou à carreaux, revêtent jaquettes et redingotes. Les ouvriers, un fichu autour du cou, conservent la blouse paysanne comme les artisans de la rue; on aperçoit le vitrier, le peintre, le charpentier dans son large pantalon bleu, et le rempailleur de chaises, le raccommodeur de faïence, la petite blanchisseuse de fin son panier carré sous le bras. On entend les appels des marchands, l'orgue de Barbarie, partout sur le pavé les sabots des chevaux; les cochers font claquer leur fouet au départ de l'omnibus bondé jusque sur l'impériale.

Montmartre garde un charme champêtre et possède encore son maquis, « ensemble de petites maisonnettes et de masures en bois au milieu des lilas, des seringas, des cabanes à poules et à lapins, des palissades et des foins [1] ». Toulouse-Lautrec a son atelier près de là dans une maison qui

1. Pierre Mac Orlan.

35

Rêverie. Lithographie pour les « Petites scènes familières » de Claude Terrasse, 1893.

La petite blanchisseuse. Lithographie, 1896. ▶

Les enfants de l'école.
Esquisse au crayon, vers 1895.

fait l'angle de la rue Tourlaque et de la rue Caulaincourt. Bonnard, lui, travaille toujours dans son atelier du 28 rue Pigalle. « Il peignait avec cette lenteur, cette indifférence apparente mais secrètement fiévreuse que nous lui avons toujours connues, écrira Léon-Paul Fargue. Il était audacieux, ingénieux, concentré tout ensemble. Il savait beaucoup de choses et voulait en savoir encore davantage. La mémoire des yeux, du coup de pouce, était chez lui peu commune. Il avait une façon de se souvenir des musées, des Velasquez, des squares, des chiens et des arbres qui n'appartenait qu'à lui, et qui vous eût quasiment bouleversé si le regard avait été moins malicieux, moins doux, moins caustique et moins bon camarade à la fois. » Il vient de terminer les lithographies des « Petites scènes familières » et les ornements du « Solfège » de son beau-frère Claude Terrasse, qui paraissent en 1893, et il compose l'affiche de la Revue Blanche (1894). Cinq années la séparent du projet pour France-Champagne; le dessin y est plus assuré, les caractères plus ordonnés dans leur fantaisie même. Le peintre est proche de son modèle, attentif à la grâce, sensible au charme de la femme d'une manière nouvelle, tout intérieur et comme retenue. Dans des coloris gris, beige ponctué de noir, brun rosé, elle donne bien l'idée de sa palette à cette époque. C'est qu'il retrouve Paris aux approches de l'hiver; brumes, fumées et vapeurs courent sur les toits et enveloppent les façades.

Degas dès 1859 notait dans ses carnets : « On n'a jamais fait encore les monuments ou les maisons d'en bas, en dessous, de près, comme on les voit en passant dans les rues. » C'est à quoi Bonnard semble vouloir s'appliquer. Il observe les reflets, toutes les irisations sur les murs, mais aussi tous les gestes des passants. Il surprend toutes les attitudes des femmes,

37

Les enfants de l'école, vers 1895.

La rue en hiver, 1894.

Détail. ▶

Le boulevard. Lithographie pour « Quelques aspects de la vie de Paris », 1895.

qu'elles remettent en place un chapeau, chuchotent sous leur ombrelle, traversent la rue d'un pas fragile ou inscrivent leur silhouette frêle dans la roue de « L'omnibus ». Le jaune ici est éclatant, souligné de traits ocres qui délimitent, en haut de la composition, trois glaces de la voiture; quelques lettres nous indiquent qu'elle passe par la rue d'Alésia. Voici les enfants qui courent sous leur pèlerine à capuchon, le facteur, le sergent de ville, la marchande des quatre-saisons. Et c'est l'imprévu et le cocasse : l'accoutrement du clochard, la rondeur des commères, l'agitation animale; l'accidentel et l'inattendu : les moindres événements de la rue, la confidence échangée sous les hauts-de-forme rapprochés... Ses mises en page surprenantes nous rappellent son propre étonnement. La scène est prise sur le vif, isolée, détail découpé dans l'ensemble à la manière de l'instantané photographique; peu importe que le cadre limite à gauche le profil d'un cheval et la roue d'un fiacre à droite : le mouvement semble curieusement naître de ces arrêts comme l'animation éclate sous la fantaisie. Qu'il marque fortement ses personnages au premier plan, en ombres chinoises, ou les fasse vivre de quelques traits; qu'il vienne à esquisser la ville dans le lointain tel un faubourg, Bonnard use toujours de simplifications expressives qui ne sont pas sans évoquer parfois l'art de Daumier et de Manet. — C'est par une exposition de dessins de Manet qu'Ambroise Vollard avait inauguré sa première galerie rue Laffitte en 1893. — Aux teintes claires de ses débuts il substitue des tons sourds, tous

40

Le chevrier. Lithographie pour les « Petites scènes familières » de Claude Terrasse, 1893.

Maison dans la cour. Lithographie pour « Quelques aspects de la vie de Paris », 1895.

Le cheval de fiacre, 1895.

L'omnibus, vers 1895. ▶

Manet, *Les courses*. Lithographie, 1864.

les gris de la ville, le bistre et le bronze, égayés juste de quelques couleurs
— turquoise, vert amande, rose — jetées comme des accents. C'est « la tache
colorée vue à travers la fine brume parisienne [1] » telle qu'on la trouve au
même moment dans ses estampes, publiées par Vollard sous le titre « Quelques aspects de la vie de Paris ». Une expérience profite à l'autre, il le dira
plus tard à André Suarès : « J'ai beaucoup appris au point de vue peinture
en faisant de la lithographie en couleurs. Quand on doit étudier les rapports de tons en jouant de quatre ou cinq couleurs seulement qu'on super-
pose ou qu'on rapproche, on découvre beaucoup de choses. » Ces gris
précieux et rares trahissent aussi son goût de l'énigme et du secret. « Suggérer, et non dire... » recommandait Mallarmé. Certains tableaux n'ont,
à proprement parler, pas de sujet, tel le petit panneau d'une simplicité
extrême composé à Éragny : la tache marron d'une porte unit le rose du
sol à la grisaille des murs; trois minuscules plaques foncées où se devinent
les numéros des maisons et le rebord ocre des fenêtres viennent seuls rom-
pre la verticalité monotone des portes et des volets clos; sauf deux chiens
qui errent près d'une brouette tout le monde est rentré. C'est là le seul
prétexte de la peinture, mais la rue elle-même est intimement vivante,
« les maisons mêmes, écrit Claude Roger-Marx, ont un regard, une peau,
et respirent à la manière de ceux qui les habitent ».

Bonnard montre quelques-unes de ses œuvres au Salon des Indépendants en 1893, chez Le Barc de Boutteville — en 1893 et 1894 — et fait
sa première exposition particulière chez Durand-Ruel en janvier 1896.

44   1. Gustave Geffroy.

pont.
thographie pour
Quelques aspects
la vie de Paris »,
95.

Arc de triomphe.
thographie pour
Quelques aspects
la vie de Paris »,
95.

On comprend que les Impressionnistes, alors qu'ils suivent de près la nature et captent toutes les vibrations colorées de la lumière, ne soient pas gagnés à ces tons assourdis et à ces formes accentuées; Bonnard semble aller à contre-courant. Il poursuit surtout une autre idée, celle d'une peinture beaucoup plus subjective que la leur, et introduit dans les « Scènes de rue » — où eux ne voient que des paysages — toute une analyse psychologique qui fait de ces scènes de véritables portraits. C'est à son intuition surtout qu'il entend se fier, comme Vuillard, qui partage son besoin d'indépendance. Ainsi, avec Roussel, sont-ils même un peu à part dans le groupe des Nabis.

Ils demeurent très unis cependant à leurs camarades, à Toulouse-Lautrec qui tente de vendre leurs toiles aux marchands comme Lugné-Poe le fait auprès des gens de théâtre, à Vallotton, qui les fait connaître en Suisse. « C'était une joie que leur amitié, dit Octave Mirbeau, et en même temps qu'une joie un profit. Pour moi j'y ai beaucoup appris, même dans les choses de mon métier. Ils m'ont ouvert un monde qui jusqu'à eux m'était en quelque sorte fermé ou obscur. Et ils ont ajouté au goût que j'ai de la vie, au goût que j'ai de me plaire à la vie, des raisons plus valables, plus saines et plus hautes. » Francis Jourdain a témoigné aussi de leur simplicité et de leur modestie. Ces qualités accompagnent bien leurs préoccupations artisanales. Ils dessinent tous des projets de meubles et de vitraux, des paravents; Aristide Maillol, dont ils ont fait la connaissance par leur ami hongrois Rippl-Ronaï, s'intéresse avec Paul Ranson à la tapisserie. Il y a dans ces tentatives parallèles aux recherches de l'Art Nouveau — mouvement qui concentre les aspirations décoratives de la fin du siècle — le désir

Rue à Eragny, vers 18ç

La vie du pein
Répétition au théâtre de l'Œuv
Debout, Lugné-Poe. Assise, Suzanne Despr
Les bureaux de la Revue Blanc
Au premier plan, Octave Mirbeau converse avec Henri de Régni
Au second plan, Félix Fénéon penché sur sa tab
à droite, Alexandre et Thadée Natanson, directeurs de la Rev
Au troisième plan, de profil, Jules Rena
A gauche, Misia Natanson appar
Un aspect de Paris, vu de l'atelier du peint

non seulement d'intégrer l'art à la vie mais aussi de « formuler une esthétique valable pour toutes les formes d'art et pour tous les pays [1] ». Ainsi les
Nabis participent-ils à toutes les activités, dans tous les domaines. Ils col-
laborent à la Revue Blanche, pour laquelle Thadée Natanson leur commande bois gravés, dessins, lithographies et affiches. Cette revue littéraire
d'avant-garde réunira les noms de Mallarmé, Verlaine, Claudel, Gide,
Oscar Wilde, Tristan Bernard, entre autres, et accueillera les premiers
essais de Léon Blum, Marcel Proust, Guillaume Apollinaire; écrivains et
artistes s'y rencontrent autour de la « rayonnante et sibylline » Misia,
femme de Thadée Natanson. Maurice Denis illustre « le Voyage d'Urien »,
de Gide, et Bonnard « Marie », de Peter Nansen. Pour ses Albums des
Peintres graveurs édités en 1896 et 1897 Ambroise Vollard demande des
estampes en couleurs à Toulouse-Lautrec, Vuillard, Maurice Denis et Bonnard, qui lui donne notamment son émouvante « Petite blanchisseuse ».
Les expériences nouvelles du théâtre les passionnent. Ibels compose des
lithographies pour les programmes du Théâtre Libre d'André Antoine.
Tous ils créent des décors et costumes pour le Théâtre d'Art de Paul Fort.
A la Maison de l'Œuvre, qu'il a fondée, Lugné-Poe monte « Pelléas et Méli-
sande », de Maeterlinck, dans les décors de Vuillard, et des pièces de Björn-
son, Ibsen, Strindberg. En décembre 1896, c'est « Ubu roi », d'Alfred Jarry,
avec la musique de Claude Terrasse, les décors de Bonnard et Sérusier.
Bonnard modèle aussi des marionnettes pour le Théâtre des Pantins, ins-
tallé par son beau-frère dans son appartement de la rue Ballu, en compagnie

48   1. Giulio Carlo Argan.

de Franc-Nohain et Alfred Jarry. « D'Ibsen et de Maeterlinck jusqu'à « Ubu roi » d'Alfred Jarry, ce fut une série de découvertes, de révélations : l'art de la mise en scène se transformait aussi, le trompe-l'œil proscrit faisait place au décor d'imagination, à la tenture de rêve.[1] » « Il n'y a plus de tableaux, il n'y a que des décorations, proclamaient-ils déjà en 1890; il nous faut des murs à décorer. » D'où encore ces plafonds et ces panneaux, l'assemblage des tableaux en triptyques, l'emploi du carton et du bois comme supports, de la détrempe et de la colle... Cette esthétique décorative évoluera chez chacun d'eux suivant une tendance particulière; tendance au mysticisme chez Maurice Denis et Verkade; goût de l'allégorie et de la mythologie chez Roussel; intimisme enveloppant comme une tenture chez Vuillard. Au sens de l'intimité Bonnard ajoutera toutes les fantaisies du rêve et de l'imagination.

1. Maurice Denis.

51

La petite fille au chat, 1899.

La maison du Grand-Lemps s'anime des enfants nés au foyer de Claude Terrasse. Bonnard, qui y revient toujours en été, observe tous leurs jeux, la course au cerceau, la promenade à âne, les caresses au basset ou aux chats, la baignade dans le bassin du jardin. Il participe à toutes les joies, à tous les tours, surprend les allures comiques, les gestes gracieux ou mal assurés, et prolonge son amusement dans l'atelier que sa mère lui a fait aménager au second étage de la maison. Les vacances finies ce sont les devoirs, la veillée sous la lampe, la partie de cartes de la grand-mère. Il aime comme Vuillard la douceur des intérieurs d'hiver quand la maison est bien fermée et le feu allumé. Il a rencontré à la fin de 1893 une jeune femme de vingt-quatre ans; elle a un corps gracile, une jolie chevelure, des yeux bleu pervenche et s'appelle Maria Boursin; mais elle préfère le prénom de Marthe et Bonnard lui donnera son nom en 1925. D'elle, vivant modèle autour de lui, il créera ce type de femme légèrement grandie sur ses jambes, cambrée, fine de taille, les seins hauts et fermes. C'est elle qu'on voit dans quelques-unes de ses premières lithographies, et dans les illustrations qui accompagnent le roman de Peter Nansen, publié dans la Revue Blanche en 1896, et édité en 1898.

jardin, vers 1900. ▲

1 Grand-Lemps,
ec ses neveux et nièces.
ers 1898.

Dessin pour « Marie », de Peter Nansen, 1896.
Nu aux bas noirs, vers 1900. ▶

De l'affiche de la Revue Blanche (1894), où elle est tout enjôleuse,
à « L'Indolente » de 1899, la femme passe de la coquetterie à la grâce, et de
la grâce à l'abandon : cette femme assoupie sur le lit défait, la tête tournée
vers l'ombre mais le corps brûlant abandonné à la lumière, offre une des
images les plus sensuelles de la peinture. « Dans l'ombre du nu de Poussin,
il y a la contemplation; de Rembrandt, l'éternel; du XVIIIᵉ siècle français,
la complicité dans le viol », écrit André Malraux. Cette fausse indolente
révèle la complicité dans la volupté; tout dans ce tableau évoque le plaisir,
jusqu'à la stridence des couleurs fauves. Une pipe en terre sur le marbre
d'une petite table suggère la présence de l'homme; la lumière provient
de cette table, d'une lampe qu'on ne voit pas, et son faisceau évasé accentue
une étonnante composition en vue plongeante, telle qu'a pu la déterminer
un effet de miroir. De cette période datent encore quelques nus dont les
bas noirs ajoutent au trouble sous la clarté dorée de la lampe. Avec la
volupté apparaît dans l'œuvre de Bonnard une gravité soudaine. Il avait

54

représenté jusque-là des scènes participant d'une époque définie, celle de
ces dernières années du siècle, dont il demeurera l'un des plus charmants
témoins. Il va maintenant lier l'homme à sa condition, ce qui sera le
définir d'une manière à la fois plus précise — dans son cadre de vie particulier — et plus générale — dans ses traits éternels. Ainsi montre-t-il dans
« l'Homme et la Femme » (1900) cette poignante solitude qui naît parfois
après la volupté : un paravent fermé (qui n'existe pas dans le sujet semblable peint en 1898), dressé verticalement au centre de la toile, sépare la
jeune femme assise sur le lit de l'homme debout, maigre et étiré tel un
Greco; l'un et l'autre poursuivent leur rêve intérieur. C'est la solitude aussi
qu'évoque cette autre jeune femme accoudée à une table, pour le dessert,
la joue appuyée sur les mains, aussi détachée de la présence d'une servante
affairée qui lui tourne le dos que de celle d'un deuxième personnage dont
on voit une main s'avancer. La « Salle à manger » de la collection Bührle
où se confrontent les trois âges — l'aïeule, la mère, les enfants — est

55

Le dessert, vers 1899.

La salle à manger, 1899.

56   *L'homme et la femme*, 1900.

empreinte d'une sorte de tension dramatique; une étrange lumière bleue tombe sur la table et sur les visages, à laquelle s'oppose juste le marron du mur qui la transforme en mauve et en violet; seule la tache orange des fruits semble maintenir le sentiment de la vie, face à ces visages comme frappés d'hébétude, saisis par le temps qui doit les flétrir.

A cette prise de conscience de lui-même et du temps on sent que l'homme est là; le peintre aussi a besoin d'affirmer sa présence. Telle qu'elle apparaît dans ses toiles, bleue ou blonde, c'est une préoccupation nouvelle chez lui, et révélatrice, que la lumière.

Lithographie pour « Parallèlement » de Verlaine, 1900.

III

VERS LA COULEUR

SEGUIDILLE.

Brune encore non eue,
Je te veux presque nue
Sur un canapé noir
Dans un jaune boudoir,
Comme en mil huit cent trente.

Presque nue et non nue
A travers une nue
De dentelles montrant
Ta chair où va courant
Ma bouche délirante.

4.

« *On estime aujourd'hui communément qu'un artiste a d'autant plus
de valeur qu'il est plus surgi, qu'il est plus inventé de toutes pièces,
et qu'on lui reconnaît moins de parents. Mais il risque alors d'obéir
à l'époque dans cette originalité apparente et forcée, de céder au goût
anarchique du jour. Quant à moi j'estime que le valeureux artiste est
celui qui s'oppose au courant, ce courant cherche-t-il à l'entraîner vers
droite ou vers gauche.* »

André Gide.

Il n'est pas étonnant qu'Ambroise Vollard ait songé à Bonnard pour
illustrer « Parallèlement » de Verlaine. Il connaissait les dessins pour
« Marie » que Renoir admirait au point d'écrire à Bonnard : « Vous avez
une petite note de charme. Ne la négligez pas. Vous rencontrerez des peintres
plus forts que vous, mais ce don est précieux... » et il a vu « L'Indolente »
— dont un dessin figurera d'ailleurs dans l'ouvrage — à l'exposition de
groupe organisée chez Durand-Ruel en mars 1899. Pour accompagner
les poèmes de Verlaine, Bonnard invente une composition irrégulière;
les lithographies jouent avec les strophes, les enlacent, se mêlent à elles
ou se glissent dans les marges, images voluptueuses et tendres dont le
pouvoir de suggestion s'allie miraculeusement à l'art du poète. Le livre n'a
cependant aucun succès à sa parution en septembre 1900; on lui reproche
cette liberté dans la composition, son format inhabituel, le procédé même
de la lithographie à laquelle on préfère encore la gravure sur bois. Mais
il plaît à Vollard qui loin de se décourager en commande un autre. « Il
en voulut tout de suite un second, expliquera Bonnard, et j'ai commencé
les lithographies de Daphnis et Chloé, d'inspiration plus classique. Je
travaillai rapidement, avec joie; Daphnis a pu paraître en 1902. J'ai évoqué
à chaque page le berger de Lesbos avec une sorte de fièvre heureuse qui
m'emportait malgré moi [1]. » C'est ce bonheur qu'on ressent en ouvrant
le livre, tout rempli de la fraîcheur champêtre; le temps semble aboli,
c'est ici la naissance de l'amour. Pour illustrer cette histoire merveilleuse
qui se renouvelle en tout lieu et en toute saison, belle comme tous

1. Bonnard à Marguette Bouvier, *Comœdia*, 23 janvier 1943.

Lithographie pour « Parallèlement » de Verlaine, 1900.

Dessin pour « Daphnis et Chloé », 1902.

Lithographie pour « Parallèlement » de Verlaine, 1900.

les jours la naissance du jour, point n'est besoin pour Bonnard de
préciser le décor ou le costume, il ne s'agit de montrer que l'élan, la
grâce et la jeune force des jeux qui précèdent le premier désir. Les
lithographies de « Parallèlement » étaient tirées dans une teinte rose
sanguine — « J'avais tenu aux lithographies en rose, ce qui me permettait
de mieux rendre l'atmosphère poétique de Verlaine [1] » — celles qui ornent
l'œuvre de Longus le sont en bleu clair ou en gris, et elles ont toutes le même
format rectangulaire; mais cette disposition rigoureuse que Bonnard a
lui-même choisie n'engendre aucune monotonie tant sont variés les sujets
et leur interprétation. Son trait a la vigueur à la fois et la légèreté de l'ombre
pour évoquer Daphnis le chevrier et Chloé la bergère. Tous deux mènent
aux champs leurs troupeaux, Daphnis joue de la flûte cependant que chante
Chloé; voici le bois consacré aux nymphes, le hallier « fort épais de ronces

1. Bonnard à Marguette Bouvier, *Comœdia*, 23 janvier 1943.

La vie du pein
Bonnard chez sa grand-mère Mertzdo
Bonnard et un ami. Promenade noctur
Évocation de campagne. En Dauphi
L'imprimeur Clot à sa pre
A côté de lui, Bonnard trava
sur la pierre lithographiq

◀ *Les perdrix*, dessin pour les « Histoires naturelles », 19

et d'épines », un simple logis et l'intérieur d'un palais; tous les détours jusqu'aux noces pastorales...

Bonnard est heureux de retrouver la nature. Il quitte maintenant Paris dès les premiers jours du printemps. Comme les Impressionnistes il aime la vallée de la Seine et va de Montval — où il a loué vers 1900 une petite maison — à Villennes et à Médan. Après ces dix années de peinture riches d'expériences partagées il a besoin d'être seul; chacun de ses compagnons va suivre d'ailleurs aussi sa propre route. Ils ne seront pas loin toutefois les uns des autres : Maurice Denis est à Saint-Germain-en-Laye, Roussel — qui a épousé la sœur de Vuillard — à L'Étang-la-Ville; Maillol s'installera à Marly-le-Roi, près de Montval. Ces paysages d'Ile-de-France, Bonnard les voit parfois encore animés de faunes et de nymphes; dans les champs, au bord des ruisseaux, vivent les animaux dont les dessins viendront illustrer les « Histoires Naturelles » de Jules Renard (1904). En Dauphiné la maison est grande ouverte au soleil de l'été, la famille réunie autour d'une

Chez Misia, vers 1899.

table dans le jardin. Un parrain et une marraine, fort pittoresques personnages ronds de ventre et de poitrine, sont venus passer le dimanche; les
enfants sont tous sages pour la circonstance. Les chiens, la chatte et le
chaton sont présents aussi, bien entendu. C'est l'image du calme bonheur
provincial, décrit avec une tendresse où se mêle l'ironie que souligne le
titre d' « Après-midi bourgeoise » donné au tableau par le peintre; le ciel,
lumineux, précède et annonce l'éclaircie de sa peinture. Si amusante soit-
elle cette description n'en est pas moins très étudiée dans la composition,
minutieuse dans le dessin. Mis à part ses nus récents et les tableaux de ses
débuts, Bonnard n'a jamais directement affronté le modèle, il ne s'est pas
véritablement confronté à la nature, à l'objet, qu'il « touche à peine, dit
Focillon, d'une chiquenaude ou d'une caresse ». La discipline qu'il s'est
imposée dans ses livres a été déterminante; il a pu voir que les exigences
de la rigueur n'altèrent pas la faculté d'enthousiasme. L'Indolente, Parallèlement et Daphnis et Chloé, l'Après-midi bourgeoise marquent ainsi
66   le début d'une période nouvelle.

près-midi bourgeoise, 1900.

 Grand-Lemps, au Clos, propriété de Mᵐᵉ Eugène Bonnard, mère de l'artiste.

 gauche à droite, Claude Terrasse et son fils Jean, Mᵐᵉ Prudhomme

 Charles Terrasse, Mᵐᵉ Claude Terrasse, Auguste Prudhomme.

 premier plan, Vivette Terrasse avec sa bonne. Assis près du bassin, Robert Terrasse.

 la fenêtre Renée Terrasse. Mᵐᵉ Bonnard rentre dans son salon.

 autres enfants sont de petits personnages accessoires.

 réplique de ce tableau figure au musée de Stuttgart. Elle comporte des variantes.

vie du peintre.
la campagne. La petite maison de L'Étang-la-Ville,
es de Saint-Germain-en-Laye.
nnard est devenu un grand peintre mondain...

Il a évolué jusqu'ici parmi ses camarades, indépendant certes mais préoccupé comme eux d'une technique et de moyens décoratifs dont se ressentent ses tableaux; bien que les ayant comprises à sa manière, traduites dans son langage, il a partagé leurs idées; c'est dans une certaine mesure grâce à elles qu'il a pu avancer. Mais on ne vit pas que d'oppositions et de réactions; c'était utile et excitant de substituer les gris à la lumière, les formes accentuées ou les arabesques aux reflets des choses; amusant de conter les menus événements, les mille aspects quotidiens ou imprévus de la rue, ce que Degas appelle les « accidents ». La lumière existe cependant, et l'humour ne peut suffire contre la présence de l'objet; il faut pour dominer cette présence trouver d'autres moyens d'expression. Bonnard commence par étudier de plus près le modèle pour mieux le comprendre. Les scènes d'intérieur révèlent cette attention nouvelle. On connaît maintenant le cadre où vivent ses personnages, l'atmosphère qui se dégage d'eux. Toutes les occupations sont décrites, et les attitudes familières. La femme est assise à quelque travail de couture ou de broderie, écrit, lit une lettre; ou dégrafe son corsage, attache sa chemise, enfile ses bas, lace ses bottines : autant d'observations du geste, de l'expression, du mouvement. Les mêmes préoccupations se retrouvent dans les nus de 1904-1905 — étude du volume, des proportions — soulignées encore par l'apparition des statuettes qu'il prend goût à modeler au même moment à l'instigation sans doute de Maillol. (Le surtout de table coulé en bronze que possède le Musée National d'Art moderne de Paris a été exécuté peu avant, vers 1902; ses motifs — nymphes, faunes, décor sylvestre — rappellent Daphnis et Chloé.) On songe aussi à Degas. Mais alors que Degas vise à une suggestion du mouvement dans

▲ Vers 1905.

◄ Dans le train, pour l'Espagne,
avec le prince Bibesco
et Édouard Vuillard, vers 1905.

70

Dans son atelier, 65, rue de Douai,
avec Marthe, un ami, vers 1903.

ce qu'il implique d'effort et de tension, Bonnard au contraire veut le montrer souple, spontané, détendu; ses observations faites, il redonnera au modèle toute sa liberté. La lumière apparue dans ses toiles vers 1898-1899, voilée et comme tamisée, leur conférait un calme et une unité inhabituels. Les gris argentés de la ville s'égaient peu à peu de rose et de bleu, de vert amande, ou sont réchauffés à l'intérieur de la maison par des ocres et des rouges foncés. L'éclaircie vient toute en nuances.

Au cours de cette période Bonnard parcourt les musées étrangers. Il entreprend une série de voyages en Belgique, en Hollande, en Angleterre, souvent accompagné de Vuillard dont il fait le portrait en 1905. Ils vont ensemble en Espagne et visitent Séville, Grenade, Saragosse, Tolède, Madrid. « On fait très bien la différence entre les peintres qui savent se défendre et ceux qui n'ont pas de défense contre l'objet en visitant le Prado, en comparant les Titien et les Velasquez. Titien avait une défense totale devant le motif, tous ses tableaux portent la marque du Titien, ils étaient conçus suivant l'idée initiale qu'il s'en faisait. Tandis que pour Velasquez il y a de grandes différences de qualité entre les motifs qui l'ont séduit,

Édouard Vuillard, 1905.

ses portraits d'infantes, et ses grandes compositions académiques où l'on ne retrouve que les modèles mêmes, les objets mêmes sans que soit sensible aucune inspiration première. » Cette défense contre l'objet il l'admire aussi chez Cézanne dont l'emprise de plus en plus forte sur tous les jeunes peintres ne cessera de s'affirmer après l'exposition rétrospective de 1907 au Salon d'Automne. Il considère longuement ce qui se fait autour de lui, attentif à toutes les inventions. On pourrait retrouver certains principes essentiels des Fauves dans cette vue de la « rue Tholozé », note brève et intense se détachant sur la toile vierge à peine frottée. « L'expression, dit Matisse, vient de la surface colorée que le spectateur saisit en son entier. » — « Tout ce qui n'a pas d'utilité est par là même nuisible... » C'est le sens profond des expériences qui l'attire et le retient; le cubisme ne le passionne pas tant par ses constructions que par le besoin d'ordre et de clarté qu'il manifeste : « C'est très important », confie-t-il à George Besson. Il approuvera les collages. « J'approuvais les collages au moment où ils jouaient un rôle plastique, c'est-à-dire introduisaient une matière réelle extérieure à la peinture qui, par sa nature même, de ce fait même, rappelait l'artifice de la peinture.

73

rue Tholozé et le Moulin de la Galette, vers 1905.

74

Ainsi j'aime tout particulièrement les fonds dorés et ouvragés des primitifs et des enlumineurs, ou l'introduction d'armoiries et de blasons dans leur peinture [1]. » Lorsque Rouault fera sa première exposition particulière en 1910 il le remarquera tout de suite. « Bonnard est le seul (et cependant je le connais peu) qui, à ma première exposition chez Druet, ne se soit pas extasié trop sur mes céramiques, mais ait insisté sur ma peinture; il avait raison, je le vois maintenant [2]. » Il confronte ses observations, les oppose à ses propres découvertes, de la même façon qu'il aime opposer les sujets et les spectacles. On passe de l'intérieur au dehors, la lumière vue du jardin se heurte aux ombres de la pièce, la rue qui tourne plongée dans le soleil éblouit le carrefour; la masse d'une voiture, d'un fiacre ou d'un omnibus surgit parmi les passants dont elle accentue les mouvements singuliers : de toutes ces oppositions il fait naître la vie, elles l'excitent en même temps; sa spontanéité se nourrit de son attention. L'une et l'autre se conjuguent dans le tableau de « La place Clichy au tramway vert ». Voici des jeunes femmes qui s'avancent vers le spectateur, le marchand des quatre-saisons, des mamans et leurs enfants, la multitude des passants, les chiens familiers, l'arrière d'un fiacre, l'omnibus tiré par trois chevaux, le tramway à impériale dont le vert fait jouer les couleurs à l'entour : toute la fraîcheur d'un matin à Paris en l'an 1906. Les accords de vert amande, de roses, d'ocres se répondent parmi les gris, égayés de bleus, de rouges et de jaunes posés parfois en accents vifs et nerveux. Le tracé blanc du trottoir entraîne le regard vers les maisons grises qui fuient dans le lointain; la façade d'un

1. Propos de Bonnard, à Tériade. (Le Cannet, 1942).
2. Lettre de Rouault à André Suarès.

place Clichy au tramway vert, 1906.

Dessins pour *La loge*. Mesdames Josse et Gaston Bernheim, 1908.
La loge, 1908. ▶

immeuble qui monte dans le ciel, à gauche, est balancée à droite par le
mur d'une maison dont le toit en triangle vient équilibrer le plateau tétra-
gonal de la petite voiture du marchand. Les différents plans de l'espace
sont indiqués aussi par le rapprochement ou l'éloignement des passants
dont on ne voit plus dans le fond que les silhouettes colorées. Toujours
épris de la vie, le peintre s'affirme dans son langage propre. La construction de « La loge » est très étudiée elle aussi : Josse et Gaston Bernheim,
les marchands de Bonnard, sont au théâtre avec leurs épouses; l'un des
hommes est debout au centre du tableau, le visage arrêté à la hauteur du
regard par le bord de la toile, une femme assise à sa droite, l'autre à sa

gauche, son frère au fond; dans cette composition d'une grande vigueur s'enchâssent des rouges foncés et un vermillon intense; la rigueur cubiste et la couleur des Fauves semblent se confronter ici à l'admiration du peintre pour Renoir.

Le goût de la liberté, cette intuition qui le pousse à voir dans chaque tableau une création nouvelle et autonome, sa spontanéité, écartent Bonnard de toute aventure collective. Mais l'attirance de plus en plus impérieuse de la lumière, le goût des humbles sujets, sa sensibilité, le rapprochent des Impressionnistes qu'il a toujours admirés tout en jugeant leur vision trop objective, trop fidèle à la nature. Il a atteint suffisam-

77

La glace du cabinet de toilette, 1908.

Nu à contre-jour ou *l'eau de Cologne,* 1908. ▶

ment d'aisance pour reprendre leurs thèmes et prolonger leurs recherches.

Comme « La loge », le « Nu à contre-jour » de Bruxelles et « La glace du Cabinet de toilette », du Musée Pouchkine, datent de 1908. Une lumière vive vient caresser, à travers les rideaux, le « Nu à contre-jour ». Le modèle, surpris dans son attitude naturelle, ne pose pas; il offre son corps cambré à la clarté et se parfume; les couleurs, mêlées comme des laines, créent tout autour une intense vibration. On voit dans l'ombre de la pièce les accessoires qu'on retrouvera souvent, la glace, la cuvette de faïence, le tub rempli d'eau où joue un reflet. Le tableau de Moscou ne montre le modèle qu'à travers la glace du cabinet de toilette; la lumière vient de la fenêtre qui est à droite, et fait jouer tous les bleus. On peut concevoir que le miroir ajoute à l'intimité en montrant la pièce fermée. « Il nous enferme, explique Raymond Cogniat, entre ce qui est devant et ce qui est derrière. » Mais pour cela il ouvre le mur où il est placé; ainsi établit-il un prolongement... Il ajoute à l'imprévu, ranime des lumières, modifie les proportions, inverse les objets, crée l'insolite et provoque l'étonnement. « Quant au miroir, il est l'instrument d'une universelle magie qui change les choses en spectacles, les spectacles en choses, moi en autrui et autrui en moi[1]. » A Bonnard, qui l'affectionne de plus en plus, il fournit surtout la possibilité de mises en page nouvelles et surprenantes. « Le pouvoir d'invention, dit-il, réside davantage dans la mise en place et dans le sens des proportions. Tout l'art est composition : c'est la clef de tout. »

S'il veut poursuivre les recherches des Impressionnistes, il entend le faire à son idée. Le conflit pour un artiste est toujours situé entre l'émotion

1. M. Merleau-Ponty *(L'œil et l'esprit)*.

(qu'il veut rendre) ressentie devant un objet ou un spectacle et la présence (qu'il veut dominer) de cet objet ou de ce spectacle. Il s'agit d'avoir cette fameuse « défense devant l'objet » du Titien ou de Cézanne. Les Cubistes, pour sortir de ce dilemme, ont cherché à s'imposer une règle, basée sur les pouvoirs originels de la structure et du rythme pour glisser, comme l'écrit Jean Leymarie, « de l'attitude visuelle à une attitude intellectuelle et conceptuelle ». Bonnard cherche à réagir par lui-même. Chaque tableau l'entraîne dans une direction différente. Il guette l'imprévu, l'inhabituel, non par goût d'être original, plutôt par un esprit de résistance et d'opposition qui correspond bien à sa nature : sous une apparence désinvolte il est très volontaire. L'étude de nouveaux moyens d'expression, dans la couleur et la composition, ne l'empêche pas de rester fidèle à sa vision sensible de la vie. La femme chez lui demeure désirable, qu'il la montre en sa plénitude dans la clarté du jour ou sous la lumière dorée de la lampe.

Bonnard avait remarqué, dans les tableaux du xviiie siècle, l'association fréquente du bleu, du rouge et du blanc. (Que l'on songe simplement au petit « Bouquet de fleurs » de Chardin, à la National Gallery d'Edimbourg, ou à son « Portrait à l'abat-jour », du Louvre.) Ce sont les couleurs qu'il fait jouer ensemble dans le « Nu à la lampe ». Ce qui frappe particulièrement dans le tableau de la même époque intitulé « La tarte aux cerises », c'est la tache noire, au centre de la composition, de ce chien dont on ne voit que le regard gourmand. Le peintre s'est en quelque sorte identifié au modèle tant il a su mettre d'intensité dans cette convoitise. Cette faculté de métamorphose rappelle certaines particularités de l'art extrême-oriental; on connaît cette légende d'un artiste japonais

83

La tarte aux cerises, 1908.

George Besson, 1909. ▶

84

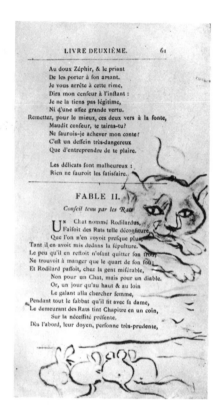

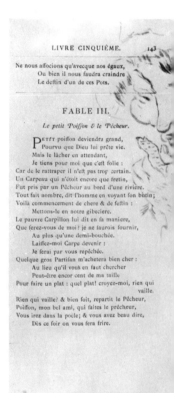

Dessins en marge d'un exemplaire
des « Fables de la Fontaine ». Vers 1907.
Misia, vers 1909. ▶

s'essayant à voler, dans la pièce qu'il doit décorer : « Je suis en train
de devenir l'oiseau que je peindrai demain... » C'est la verve familière
d'Hokusaï. Mais c'est aussi le sens de la vie et l'amour du naturel de La
Fontaine, dont Bonnard a illustré les Fables dans un volume unique, l'art de
raconter avec une science cachée l'histoire la plus simple, et la plus difficile.
On sent bien dans ces croquis la familiarité que le peintre entretient depuis
toujours avec la gent animale : quelle aisance dans ces notations brèves,
86   concises, spirituelles, qui ne sont jamais détachées du texte, mais

l'accompagnent. Le renard, le petit lapin, le singe et le chat jouent dans les marges ou parmi les caractères. L'image est là telle que vient de la suggérer la lecture; il n'y a pas de rupture; le dessin tout accordé au texte demeure allusif et sans insistance. Comme dans « Parallèlement » l'illustration semble naître tout naturellement sous les yeux.

Le « Portrait de Misia », somptueuse évocation sur fond vert d'une jeune femme qui séduisit tous les grands artistes de son temps — qu'ils fussent peintres, musiciens ou écrivains — est aussi un hommage aux peintres du XVIIIe siècle : Boucher, Fragonard, Watteau surtout, que rappellent les gris et les roses de la robe et le profil mélancolique du modèle. De la même époque date le portrait de George Besson, homme de caractère. « J'arrivai un matin de mai dans l'atelier de Bonnard, la cellule d'un couvent désaffecté de la rue de Douai. Il me fit asseoir dans un vieux fauteuil devant une porte jaune. Il se frotta les mains d'un mouvement énergique qui lui est resté et commença mon portrait. Il peignait en fumant la pipe et en croquant des pralines qu'il tirait d'un minuscule sac en papier posé sur un petit poêle rouillé, bas et rond [1]. »

En juin 1909, Bonnard va rejoindre Manguin à Saint-Tropez. La lumière du Midi l'enthousiasme. « J'ai eu un coup des Mille et une nuits. La mer, les murs jaunes, les reflets aussi colorés que les lumières... » Il s'empare des couleurs et les fait jouer dans le soleil avec un bonheur qui le révèle à lui-même. Désormais, elles joueront le rôle essentiel dans sa peinture.

1. G. Besson, *le Point*, 1942.

IV

LES GRANDES COMPOSITIONS

L'Automne, 1913.

« Soyez sûrs que l'avenir s'apercevra qu'il y a, chez Bonnard, un ordre, un ordre profond, organique, poussant du dedans de l'homme. »

Élie Faure, 1920.

L'enthousiasme de Bonnard apparaît dans les trois panneaux « Méditerranée » exposés en mai 1911 chez Bernheim. La joie avec laquelle il accueille les impressions nouvelles révèle une fois encore sa spontanéité; ses couleurs sont franches, vives, toutes fraîches d'un nouvel éclat. L'incendie des Fauves, qu'il avait contemplé avec prudence, il va le rallumer à son tour. Comme ceux qui s'ordonnent sur le thème des « Saisons » ces panneaux forment une confrontation étonnante avec le mouvement qui les a précédés de quelques années, que poursuit Matisse dans son évolution. Sans doute certains accords de couleurs faisaient-ils présager ces effusions, de même que les recherches de mouvements devaient aboutir à « La Danse ». Mais tout ici est composé à la manière de jardins anciens, somptueux et familiers, remplis de personnages, d'enfants, d'animaux, échappés du parc du Grand-Lemps, des décorations effectuées auparavant pour Misia, ou des « Histoires Naturelles » de Jules Renard; rêves, histoires, légendes, célébration des belles saisons, ce sont bien là les « lumineuses Fables méditerranéennes » dont parle Focillon. Verts, roses, bleus, jaunes, toutes les notes claires chantent le renouveau, cependant que les gris et les teintes foncées ne jouent plus que le rôle d'accents.

Pour son animation, Montmartre est toujours le quartier de Paris que Bonnard préfère. Il loue un atelier, 22, rue Tourlaque. La place Clichy est toute proche, avec ses cafés, ses boutiques en plein vent, les camelots, les passants, les nouvelles voitures automobiles hautes encore sur leurs roues comme les fiacres. Il aime peindre aussi les quais, la Cité, les Tuileries, la place de la Concorde. A partir de 1912 il réside le plus souvent à Saint-Germain-en-Laye, et passe l'été à Vernonnet, près de Vernon, où il vient d'acheter une maison toute simple et pleine de charme, « Ma Roulotte ». Elle est située sur la route qui mène aux Andelys; un balcon de bois en fait le tour, d'où l'on voit la Seine, les remorqueurs, la campagne au loin; le jardin en contrebas d'une terrasse descend jusqu'au fleuve bordé d'arbres. Vernon est tout près de Giverny, où réside Monet; Bonnard va le voir souvent, se promène avec lui dans le parc, observe son travail : « Claude Monet peignait sur le motif, mais pendant dix minutes. Il ne laissait pas aux choses le temps de le prendre. Il revenait travailler quand la lumière correspondait à sa première vision. Il savait attendre — il avait plusieurs tableaux en train à la fois. » En hiver il fait de longs séjours à Saint-Tropez — en compagnie de Manguin et de Signac — à Grasse, à Antibes, à Cannes. Il est heureux de retrouver Renoir : « Dans le Midi, où je passais des mois, j'allais le voir en fin de journée pour ne pas gâter sa séance. On le trouvait fumant une cigarette en clignant de l'œil sur sa toile en train. Il ne parlait pas peinture mais exaltait le temps de l'artisanat et le règne de François Ier... » Les ports avec leurs petites rues encombrées de chariots, de paniers, de cordages, les barques, les bateaux, toute cette vie maritime l'attire et le retient; il décrit les suroîts des marins, les voiles colorées des tartanes, le balancement dans le ciel des beauprés et des grands mâts. La transparence de l'air laisse intact tout l'éclat de la couleur, avive tous les bleus de la mer. Cette lumière méridionale l'entraîne peu à peu, il se laisse aller à oublier le dessin; les formes auxquelles il avait apporté tant de soins se dissolvent dans les couleurs posées à grands traits rapides.

Bonnard comprend vite qu'il risque d'aboutir à une impasse, de revenir aux reflets des Impressionnistes; l'inquiétude et le doute s'emparent

A Saint-Germain-en-Laye, vers 1915.
Marthe Bonnard et George Besson à « Ma Roulotte », 1920.
La place Clichy, 1912. ▶

de lui : l'art doit être plus contrôlé, plus refrénée la sensibilité. Cette crise va durer quelques années. Il a quarante-sept ans. Mince toujours, nerveux, grave plus souvent qu'autrefois, il réfléchit sur le chemin parcouru. Il sent bien tout ce qu'il lui reste à faire, et sait depuis longtemps ce qu'il y a de paradoxal dans sa situation. « Quand mes amis et moi voulûmes poursuivre les recherches des Impressionnistes et tenter de les développer, nous cherchâmes à les dépasser dans leurs impressions naturalistes de la couleur. L'art n'est pas la nature. Nous fûmes plus sévères pour la composition. Il y avait aussi beaucoup plus à tirer de la couleur comme moyen d'expression. Mais la marche des progrès s'est précipitée, la société était prête à accueillir le cubisme et le surréalisme, avant que nous ayons atteint ce que nous avions envisagé comme but. Nous nous sommes trouvés en quelque sorte suspendus dans l'air... » Il revient au dessin. « Il est bien vrai que la

forme existe, et que l'on ne peut arbitrairement et indéfiniment la trans-
poser. » Il cherche tous les moyens de maîtriser « cette couleur qui vous
affole », étudie les rapports des tons entre eux, leur rôle. « L'orangé colore,
dit Degas; le vert neutralise, le violet ombre. » Il peint en 1912, pour l'appartement de George Besson, « La place Clichy », vue de l'intérieur du
« Wepler ». Les lignes des façades, des fenêtres, des volets, descendent verticalement sous le long rideau jaune orangé, qui sert de fronton à la composition et où s'inscrivent à l'envers les lettres « soupers - brasserie ». La place
est décrite dans l'animation du jour : au premier plan s'avancent des jeunes
femmes, entre deux serveurs attentifs; plus loin des fillettes marchent dans
le soleil et regardent le spectateur; les passants au fond se mêlent aux gris
des maisons. Un taxi d'un vert acide roule au centre de la scène; la roue de
la voiture entraîne dans son mouvement l'arrondi accentué des tables de

Au Grand-Lemps, 1917. ▲

Le basset Ubu. Crayon, 1913.

A Uriage, 1918. ▶

L'été en Normandie, 1912.

la devanture et d'un carton à chapeau que porte une passante précédée d'un marmot. La lumière, réfléchie, vient du sol, comme d'une rampe d'éclairage au théâtre, et rosit tous les visages. De la même année 1912 voici « L'été en Normandie », envoûtant tableau où se voient deux figures, l'une dans les ombres, l'autre dans les lumières du paysage, dont l'ampleur majestueuse est soulignée par l'encadrement d'un store. Était-ce une colline ou un corps de femme cette ombre au premier plan? On a hésité d'abord à le dire, tant se rejoignent entre elles les courbes épanouies. C'est l'énigme qui se pose au rêveur, ou à qui s'éveille soudain dans la nature dévorée de soleil. La « Salle à manger de campagne », de 1913, s'ouvre sur un jar-

din resplendissant; le jour envahit toute la pièce, embrase les rouges et les vermillons. La jeune femme accoudée à la fenêtre, les chats sur le fauteuil ou la chaise, les assiettes sur la table vibrent parmi les reflets, comme négligés dans l'ensemble au profit d'une atmosphère étrange qui envahit tout le tableau; cette magie colorée transfigure le sujet. Bonnard a ressenti le besoin de donner une armature à toutes ces irisations; les lignes verticales ou horizontales des ouvertures sur le paysage sont là pour donner une assise à la couleur. Ces toiles où l'on trouve à la fois l'ordre et la fantaisie, si belles dans leur éclat, ne révèlent plus tant déjà son désarroi que son désir de le vaincre.

     Il poursuit sa route, observe plus longuement les arbres, l'eau, le

« Ma Roulotte », à Vernon.
La salle à manger de campagne, 1913.

ciel; la nature, qui avait souvent servi de fond à ses légendes et à ses fables,
il se laisse d'abord imprégner par elle. Ne peignant jamais directement
sur le motif il prend des notes au cours de ses promenades. « J'ai aimé
observer que son enthousiasme ne le portait pas à se précipiter sans cesse
sur sa palette, mais qu'il savait toujours perdre du temps pour faire un
choix. D'ailleurs perdre du temps n'est qu'apparence puisqu'il travaille
de mémoire; et s'il amorce à l'instant, d'après nature, l'œuvre qu'il ampli-
fiera à l'atelier, il commencera demain, de souvenir, la féerie qu'il contem-
plait oisivement tout à l'heure [1]. » Son dessin — exécuté alors au crayon
dur ou à la plume, qui obligent à plus d'application — est rapide, plein de

1. Lucie Cousturier (*L'art décoratif*, 20 décembre 1912).

99

Jeune femme à la corbeille de fruits, 1912.

Le thé, 1917. ▶

mouvement, très évocateur. Ses paysages, peints désormais pour eux-mêmes, demeurent animés de quelques figures; que ce soit dans la montagne ou dans un jardin, sur une longue étendue de sable au bord de l'océan, Bonnard songe comme Millet « à la présence de l'homme ». Le monde qu'il nous offre est un monde habité, par les plus humbles personnages souvent — quelques pêcheurs en barque, un bûcheron dans la plaine enneigée — par la femme presque toujours. Ses personnages apparaissent encore au premier plan — comme cette « Jeune fille à la corbeille de fruits » qui rappelle dans son allure sculpturale telles figures de Corot « austères, délicates et rêveuses » révélées à Paris au Salon d'Automne de 1909 — puis s'incorporent davantage au fond sur lequel ils se trouvent. Toute une série de portraits datent de cette époque, portraits de femmes — dont celui de Marthe commencé en 1917 — ou de jeunes filles « à la toque », « au turban », « tête nue », parfois rassemblées pour le dessert ou pour « Le thé ». La lumière ici entre par deux fenêtres donnant sur le jardin, et ses reflets sur la nappe ont peine à s'opposer à l'excitation apportée par le vert de la robe et le mauve du visage de l'une des jeunes femmes, par le bleu surtout de son chapeau. « Je me rappelle très bien ce chapeau outrageusement bleu mais très véridique », écrira un jour le peintre [1]. Ces lignes formées par les fenêtres, ou par des portes, des stores, des pans de murs ou d'étoffes (qui apportent comme dans « L'Été en Normandie » ou dans la « Salle à manger de campagne » leur contrepoids aux couleurs) divisant le paysage, le découpant dans le tableau, agissent un peu à leur tour comme des miroirs : il y a

1. A Mme Hedy Hahnloser.

Couple. Dessin au pinceau, vers 1920.

Paysage. Dessin au pinceau, vers 1920.

parfois une similitude entre l'impression produite par les effets de glace dans un intérieur et celle que donnent ces aperçus délimités de la nature. De grands panneaux décoratifs où marier toutes les disciplines, exécutés entre 1916 et 1920, achèvent ce cycle. Ce sont la « Pastorale », le « Paysage de ville », les « Monuments » et « Le Paradis ». Ainsi, chaque fois que sa fantaisie l'a entraîné trop loin, Bonnard revient à la rigueur, au dessin, que ce soit dans des illustrations de livres, ou dans des projets de décoration. Les panneaux décoratifs pour le salon de Misia, ceux de « La Danse », de « La Méditerranée » ou des « Saisons », les grandes compositions de la

104

Nu accroupi dans la baignoire, 1917.

collection Bernheim concentrent à la fois la science acquise durant quelques années, et devancent l'œuvre nouvelle, pour laquelle ils constituent une sorte de tremplin; ces compositions ne sont pas tant un retour à la nature et à l'objet qu'un effort vers la possession de son métier et l'affermissement de sa technique. Le temps entre dans son travail. « Pas moyen d'agir sur le temps, écrira-t-il un jour à George Besson; il faut que cela mûrisse comme une pomme. » « Voir le motif une seule fois... ou mille. »

« Le Paradis » exprime surtout l'émerveillement de Bonnard devant l'univers; la sève qui y circule montre bien que d'autres floraisons suivront, que cet émerveillement ne le quittera plus. Ève est allongée sur la terre chaude parmi les verdures; son corps offre une plénitude nouvelle, celle de ces nus observés moins maintenant pour la grâce ou le naturel du mouvement que pour leur pure beauté plastique, émouvants dans leurs seules proportions, très inscrits dans le tableau. Ainsi le « Nu accroupi dans une baignoire », de 1917 : la femme apparaît dans une composition verticale; penchée en avant dans l'attitude du coureur prêt à bondir, elle est comme tendue vers cette eau dont elle aime baigner son corps. Ses bras se rejoignent sur son genou levé, l'une de ses mains jouant avec l'eau qu'elle fait tomber en pluie. Toutes les lignes se répondent — lignes du dos et de la jambe vers la gauche, lignes des bras et des rebords de la baignoire vers la droite — et se rejoignent, soulignées d'ombres et de lumières dorées, dans cet unique trait en hauteur qui divise les parois du mur au fond de la salle de bain. Le « Nu devant la cheminée » du Kunstmuseum de Winterthur, est inscrit lui aussi verticalement dans le tableau. Le modèle, debout, se tient sur la jambe gauche, l'autre appuyée sur le bord d'un divan; des reflets bleus

L'enlèvement d'Europe, 1919.

provenant d'un dessus de lit et renvoyés par une glace inondent le corps d'irisations portées au mauve par la présence d'un tapis rouge. La lumière, diffuse, nacrée, glisse le long du dos et sur la jambe droite dont elle suit la longue inclinaison.

Bonnard montre dans son art une vigueur renouvelée. Il peut entreprendre un sujet comme « L'enlèvement d'Europe » : le vent souffle sur une mer blanchie d'écume; le taureau qui va enlever la fille du roi de Phénicie est rivé à la terre comme le rocher dont il semble détaché; l'argument disparaît dans la peinture... Libre à nouveau, le voici maître de soi : il a donné son rythme au chant de la couleur.

V

L'EXPRESSION DU MYSTÈRE

Il est émouvant de découvrir la rigueur et l'ordre chez un artiste aussi habile à tenir secrets les tourments de son travail qu'il l'est à cacher ses peines ou son angoisse, et d'autant plus qu'on trouve aussi dans ses toiles un sentiment nouveau. La réalité y est saisie avec plus de gravité. Ce n'est plus, comme dans les années 1899-1900, cette tristesse qui suit parfois la volupté, mais, après la prise de conscience du temps, le sentiment de sa brièveté. Le peintre, moins sensible aux détails imprévus et inattendus qu'il décrivait avec un art de conteur, tente maintenant d'appréhender le mystère qui émane des êtres et des choses. Un monde se crée peu à peu sous nos yeux, fait à la fois de l'émotion ressentie devant la beauté de l'univers et de cette conscience sublimée de la brièveté de la vie. Les paysages de Normandie comme ceux composés au bord de l'Océan reflètent cette sensation nouvelle. La souplesse du trait qui a gardé toute sa spontanéité et le charme du coloris créent l'illusion d'un monde idéal; les fenêtres et les balcons s'ouvrent sur des campagnes de rêve d'où l'âme de Watteau ne se sentirait pas lointaine. Plus on le regarde, plus ce décor crée en nous une sorte d'envoûtement. Le conteur s'efface devant le poète.

Les figures de femmes, toujours intégrées au paysage, trahissent une certaine mélancolie. Cette présence féminine — symbole autrefois de mouvement et de vie — est toujours révélatrice de l'émotion du peintre : elle laisse percevoir maintenant une tristesse latente. Le besoin de rêve de la femme, sa tendance à idéaliser — qui la rapprochent de l'artiste — trouvent en Bonnard un particulier écho. Il n'est que de regarder ses peintures pour voir qu'il demeure sensible à tous les charmes. Les visages de femmes et de jeunes filles s'inscrivent dans la composition à la manière de certains

La salle à manger, 1923-1925.

personnages hiératiques des fresques anciennes, et leur expression pensive rappelle les profils de Giotto : ainsi dans « La chevelure d'or », ou dans « La salle à manger » de la Ny Carlsberg Glyptotek de Copenhague, tableau dont la construction évoque les Hollandais du XVIIᵉ siècle. Est-ce l'âge aussi qui transparaît dans cette nostalgie? Bonnard a cinquante-cinq ans passés. Sa femme, de plus en plus jalousement attachée, prend ombrage de toute amitié, de tout témoignage d'affection et même venant d'un ami d'autrefois; la seule présence qu'elle supporte et qu'elle désire est celle de son mari, qui lui sera toujours entièrement dévoué. Elle est fine, d'ailleurs, suit son travail, l'aide de ses remarques, s'étant mise elle-même à dessiner et à peindre; elle demeure son plus constant modèle, et lui inspirera encore quelques-unes de ses plus belles toiles. L'air de la montagne étant profitable

La chevelure d'or, 1924.

Bonnard et sa femme sur le balcon de « Ma roulotte », 1920.

Au bord de la Seine, 1920.

à sa santé, Bonnard l'accompagne dans les Vosges et dans le Morvan, à Luxeuil et à Saint-Honoré-les-Bains. Leur vie est très simple, ils passent l'hiver dans le Midi — à Cannes ou à Saint-Tropez — et habitent une grande partie de l'été à Vernon. Ils vont aussi en Savoie, ou à Arcachon.

En 1921, Bonnard fait un séjour de trois semaines à Rome, où il prend des croquis pour « La place du Peuple »; il se rend en 1926 aux États-Unis comme membre du Jury Carnegie. Entre-temps il a acheté en 1925 une villa au Cannet. Il en agrandit le jardin par l'achat d'un terrain alentour, et baptise sa propriété « Le Bosquet ». Cette maison aux murs roses, blanche à l'intérieur, s'ouvre comme la « Roulotte » de Vernon sur un magnifique paysage : on aperçoit au loin les toits rouges du Cannet, les montagnes de l'Esterel, la mer; les feuilles des amandiers et des oliviers, les palmes des dattiers se découpent dans le ciel. Si elles ne sont pas très grandes, les pièces sont nombreuses; l'atelier, à l'étage, est éclairé par une grande baie vitrée; on trouve là une chaise, un tabouret, une ou deux petites tables sur lesquelles sont posés les flacons d'essence, les tubes de couleurs, les assiettes qui souvent tiennent lieu de palette au peintre. « Je n'aime pas les grandes installations lorsque je dois peindre, dit-il; cela m'intimide. » Tout est simple dans cette maison. Bonnard ne veut d'autre richesse que celle de ses

115

dame Pierre Bonnard, 1925.

Au volant de la 11 CV Renault, 1912.

La Ford, 1918.

La villa « Le Bosquet » au Cannet. ▶

Coin de salle à manger, au Cannet.

◄ Avec Marthe, vers 1924.

couleurs. Mais s'il n'accorde pas de valeur à l'argent il ne néglige pas toujours autant qu'on l'a dit ce qu'on en peut obtenir : il conserve un appartement et un atelier à Paris, possède des voitures depuis 1911 — de sa première 11 CV Renault à sa Ford, puis à une confortable Lorraine-Dietrich ; il ne descend pas que dans de petits hôtels, et il sait être élégant. Au reste il a une distinction toute naturelle, et sa réserve, l'acuité de son regard, écarteraient de lui toute familiarité ; elles créent même entre les autres et lui une certaine distance. Son amitié cependant est profonde. Il restera lié toute sa vie à ses amis des premières années — Vuillard, Maurice Denis, Roussel, Maillol — gardera son attachement à Signac, Manguin, d'Espagnat, Matisse. Il admire toujours et ne critique jamais, par crainte de médire à la fois et de se tromper, connaissant trop aussi la difficulté de son métier. Il est fidèle à Misia Godebska, à Thadée Natanson, à Ambroise Vollard, au Docteur et à Madame Hahnloser, à George Besson ; très attaché à sa famille.

Il y a de son élégance dans les bouquets de fleurs qu'il aime reprendre tous les ans, simples fleurs des champs — coquelicots et marguerites — disposées dans un vase décoré de cerises. Elles rappellent aussi son indépendance, ces fleurs faites pour vivre au grand air et à la lumière du dehors. La grâce, la légèreté, l'abandon parfois de ces bouquets forment un contraste avec la construction rigoureuse des natures mortes qu'il assemble dans

des compotiers ou des assiettes sous la clarté de la lampe. Ces natures mortes, et telles ombres bleues, font penser à Cézanne, mais le fruit ici reste velouté; une saveur persistante fait demeurer en lui la vie. Cette conception d'un art très recherché à la fois et très fidèle à la nature est ce qui le sépare de ceux-là mêmes qu'il admire. « Il s'évade comme en se jouant, dira Maurice Denis, d'une réalité dont il ne peut se passer. » C'est précisément cette référence persistante au réel qu'on lui reproche parfois; on critique le choix de ses sujets, trop proches de ceux des Impressionnistes; on ne voit pas encore ce qu'il y a de rigoureux dans sa composition. Son exposition rétrospective de 1924, à la Galerie Druet, marque bien cependant son évolution vers une peinture de plus en plus solide dans sa facture en même temps qu'elle est de plus en plus évocatrice du mystère dans son expression.

On sent l'approfondissement de son art, dont la progression n'est pas marquée d'étapes précises, encore moins de périodes définies, mais s'établit néanmoins d'une manière très sûre, à la variété de ses interprétations d'un même sujet. La lumière, l'angle de vue, les couleurs, ne sont jamais identiques. C'est que précisément il sait se dégager des coloris trop proches du réel de ses aînés. Alors que les Impressionnistes recomposent dans toutes leurs nuances les couleurs qu'ils voient dans la nature, Bonnard les transpose, change la place qu'elles occupent dans la réalité, et leur assigne un rôle nouveau : comme Cézanne il rend sensible la forme par la couleur; mais Cézanne avait une préoccupation tout autre, celle des volumes, et d'une structure toute raisonnée et volontaire. « Cézanne devant le motif avait une idée solide de ce qu'il voulait faire, et ne prenait de la nature que ce qui se rapportait à son idée. Il lui

La terrasse. Vernon, 1923.

arrivait souvent de rester là, de faire le lézard, de se chauffer au soleil, sans même toucher un pinceau. Il pouvait attendre que les choses redeviennent telles qu'elles entraient dans sa conception. C'était le peintre le plus puissamment armé devant la nature, le plus pur, le plus sincère. » Tout autre est son approche : il réagit à une émotion, qu'il veut fixer et nous transmettre. « L'émotion surgit à son moment. Le choc est instantané, souvent imprévu. » C'est à cette sensibilité primesautière, toujours en éveil, que nous devons ces rapports de couleurs, ces associations étranges, ce monde transposé. « Comme les plus rares artistes, écrit Élie Faure, Bonnard donne l'impression d'avoir inventé la peinture. Et cela non seulement parce que tout dans le monde étant nouveau pour lui, il l'exprime de façon neuve, mais aussi parce qu'il vient à l'aube d'un nouvel ordre intellectuel et qu'il est le premier à ordonner suivant un rythme que tous ignoraient avant lui les bonnes vieilles harmonies qui nous ont fait ce que nous sommes. » Son dessin

121

rapide, allusif, traduit sa première impression; quelques traits plus appuyés suggèrent les valeurs; la direction différente des lignes et certains repères établissent l'emplacement futur de couleurs. C'est une « idée de peinture » qu'il suit de très près. D'un format réduit, souvent guère plus grands que le carnet de poche qu'il porte toujours avec lui, ses croquis sont extrêmement vivants. La couleur vient à l'atelier, recomposée à la fois de mémoire et d'après ses indications, notées souvent sur plusieurs pages. Tout devient alors plus lent, « le dessin, c'est la sensation; la couleur, c'est le raisonnement ». La composition, sans faire appel comme autrefois à l'imprévu, demeure étonnante. Voici par exemple une « Promenade en mer »; la voile du bateau occupe une grande partie du tableau, et sa couleur blanche fait ressortir le bleu de l'eau; nous sommes nous-mêmes dans l'embarcation, parmi les passagers tout proches. « La Croisette » donne la même impression d'ampleur, mais le tableau est d'une petite dimension. Ici le triangle blanc

Port de Cannes, 1923.

Promenade en mer, 1924-1925.

Croisette. Cannes, vers 1925.

du rivage, réservé sur la toile, se juxtapose à ceux formés par les verdures à gauche, par la mer à droite. Tous se répondent dans une construction très équilibrée dont la concision semble appeler les dernières œuvres de Nicolas de Staël. Le blanc, depuis « La table » et « La fenêtre » de la Tate Gallery, prend une grande importance dans l'œuvre de Bonnard, qui précisera son rôle dans une note de son carnet, en avril 1927 : « voisinage du blanc, rendant lumineuses des taches très colorées ». Comme dans « La plage à marée basse » peinte à Arcachon, ou dans « Le port de Cannes », la silhouette des personnages accuse la profondeur de l'espace.

Le Groupe de la Jeune Peinture française avait choisi Bonnard comme président d'honneur avec Renoir en 1918. Léon Werth et François Fosca lui ont consacré des études en 1919, Claude Roger-Marx en 1924. Charles Terrasse, l'un de ses neveux, publie sur lui en 1927 un important ouvrage édité chez Floury, d'autant plus intéressant que le peintre a collaboré à

Autoportrait. Mine de plomb et plume, 1926.

◄ Avec Claude Monet à Giverny, vers 1925.

sa réalisation. C'est à Charles Terrasse que Bonnard a confié ses craintes et ses doutes, ce que fut cette crise des années 1913-1915; il lui a révélé quelques pensées essentielles concernant son art. Il tente de demeurer le plus fidèle possible à ce qu'enregistre son œil dans le moment immédiat où il voit, sans l'apport de la correction intellectuelle apprise par l'expérience. « L'œil du peintre donne aux objets une valeur humaine et reproduit les choses telles que les voit un œil humain. Et cette vision est changeante, et cette vision est mobile. » C'est donc un souci de spontanéité, de sincérité qui l'anime; il crée un de ses charmes : cette vision qui veut éviter les notions classiques de la perspective rappelle celle des Primitifs, et lui permet d'organiser le monde à sa fantaisie.

Il a entrepris depuis 1926 toute une série de grands paysages, bien découpés en plans successifs, aux ombres et aux lumières très marquées. Ce sont notamment le « Paysage du Cannet » du musée de Winterthur,

125

le « Paysage de Normandie », du Smith College Museum of Art de Northampton, et « La Seine à Vernon ». Les verts et les bleus, le violet et l'orangé jouent un grand rôle [1]. Certains arbres dont le faîte baigne dans la lumière font penser aux « Études d'arbres à jour frisant » de Poussin et de Claude Lorrain, sans qu'il y ait jamais toutefois chez Bonnard une préoccupation voulue de rappel; il se laisse simplement aller à son humeur, à ce qu'il découvre dans son souvenir ou dans sa propre expérience. Il y a

1. « Une des harmonies les plus fréquemment adoptées par Matisse et Bonnard, c'est celle où entrent, à doses inégales, le vert et l'orangé avec dissonance violette. Le violet, couleur binaire, est le résultat de la rencontre des couleurs complémentaires du vert et de l'orangé. Cette dissonance est donc imposée par les lois naturelles qui conditionnent notre sensibilité. » André Lhote.

en lui un côté empirique, le désir de suivre l'instinct, plus fort ou tout au moins aussi fort selon lui que le raisonnement. « Rhétorique dans l'exécution, notera-t-il un jour : appel aux réserves de beautés de formes et de couleurs, résultats d'expérience personnelle ou d'observation des maîtres, s'évoquant sous vos yeux à mesure que le pinceau pose ses touches. » Il se donne toujours une marge de liberté. Ainsi n'aime-t-il pas lorsqu'il commence une peinture avoir une toile de dimensions données. « Travailler dans des mesures imposées me paraît intolérable, la conception étant toujours plus ou moins coupée ou modifiée par des mesures matérielles. C'est pourquoi vous ne voyez pas de châssis. Je travaille toujours sur une toile libre, d'un format plus grand que la surface choisie pour peindre; ainsi je puis modifier. Ce procédé m'est utile, surtout pour le paysage. Dans tout paysage il faut une certaine quantité de ciel et de terrain, d'eau et de verdure, un dosage des éléments que l'on ne peut pas toujours établir au départ... »

127

Qu'il faille augmenter ou diminuer, son œil le prévient toujours et l'arrête à temps, que ce soit lorsqu'il cherche à traduire la densité des verdures, la luxuriance des couleurs, la profusion des détails d'une campagne en plein été, ou lorsqu'il veut montrer la simplicité d'un paysage d'hiver. Quelques taches colorées d'une grande finesse, dans « Le Cannet sous la neige », posées juste à l'endroit voulu avec une extrême précision, suffisent à évoquer le dégradé des plans, tout ce qui émerge du blanc et demeure visible, les arbustes, les murs des maisons, les montagnes dans le lointain. Comment ne pas songer encore, devant ce tableau, à l'art concis et suggestif de l'Extrême-Orient? Un paysage sous la neige commande certes

129

-forte pour « Dingo », 1924.

e Cannet sous la neige, vers 1927.

La Seine près de Vernon, 1926.

La Palme, 1926 ▶

cette concision; on ne voit dans la nature que ce qu'elle ne recouvre pas.
Mais il faut d'autant plus d'attention pour le rendre que les rares points de
repère doivent demeurer à leur place. Ceci fait penser aux seuls jeux du
noir et du blanc de la gravure. Les eaux-fortes de « Dingo » — livre
d'Octave Mirbeau illustré par Bonnard, édité par Ambroise Vollard en
1924 — avaient donné cette sensation de richesse dans l'économie des
moyens. C'est là qu'apparaît le pouvoir d'abstraction et de re-création de
l'artiste; d'un peu d'encre sur quelques centimètres carrés de papier il fait
revivre tout ce qu'il a vu. Tout naît sous nos yeux, figures, formes, paysage,
de la simple opposition — combien réfléchie — de quelques traits noirs aux
blancs environnants; la lumière surgit tout autour des ombres appuyées.

Panier de fruits. Mine de plomb, 1930.

« La Palme » est l'un des plus beaux tableaux de cette époque. Un personnage au premier plan — étonnante figure de proue au seuil de l'espace — accentue la profondeur de la vue qui porte loin au-delà des maisons soigneusement décrites dans leur étalement. A la géométrie colorée des toits se confronte la disposition familière des fenêtres, des portes, des volets. Des petites silhouettes sont visibles à un balcon, sur une route, le long d'une façade. « Bonnard, dit André Lhote, corrige somptueusement un vice de l'art moderne : sans compromettre ce goût du monumental qui est la plus évidente conquête du cubisme, il introduit dans l'architecture simple du tableau toutes les délices de l'intimité. » La lumière tamisée par la branche immense nimbe le paysage d'un halo bleu jouant avec l'orangé des toits; les touches de couleurs à droite, comme des flocons, annoncent la technique nouvelle du peintre.

Sensible à la grâce des fleurs fraîchement coupées Bonnard l'est aussi à celle des fleurs qui se fanent dans une coloration de cuivre et de soufre. Une assiette de fruits, un verre, une boîte de biscuits, quelques raisins ou

Barques au bord de l'océan. Gouache, vers 1930.

◀ *Les iris*. Gouache, vers 1930.

▼ *Panier de fruits*. Gouache, 1930.

des pommes dans un panier, font aussi bien son bonheur. Il transcrit dans son carnet la pensée de Pascal « quelle vanité que la peinture qui attire l'admiration par la ressemblance des choses dont on n'admire point les originaux » et ajoute pour lui-même : « Mais au contraire, ils ravissent. » Où qu'il soit, il peint sans cesse. A Paris où il ne passe que deux mois de l'année — « Je viens y reprendre du ton, comparer mes peintures à d'autres peintures » — il termine pour George Besson « Le café du Petit Poucet », sa dernière grande composition parisienne, sorte de triptyque dont les colonnes de l'estaminet séparent les volets. Le tableau est destiné à faire pendant à « La place Clichy » de 1912, et comporte les mêmes dimensions. De grandes lignes horizontales et verticales y sont déterminées par le rideau où se retrouvent des lettres à l'envers, par l'encadrement des portes et des glaces, par les colonnes; ces lignes sont compensées par le même arrondi marqué des tables et des sièges. Mais nous sommes à l'intérieur du café, le soir. La lumière orangée joue avec des mauves et des violets qui augmentent une impression de mélancolie et de mystère.

En 1930, une légère maladie le contraint à suivre un traitement dans une maison de santé. Son ami le Docteur Hahnloser, le voyant inquiet de son inactivité, lui conseille de se remettre à l'aquarelle, qu'il a peu utilisée jusque-là, sauf pour des projets. Mais il était habitué avec l'huile à une matière moins fluide : le Docteur Hahnloser lui apporte donc de la gouache. Ainsi va naître toute une série d'œuvres très personnelles dans leur technique même, l'aquarelle étant le plus souvent rehaussée de gouache blanche. L'opacité du blanc s'oppose alors aux transparences colorées. Comme toujours une étude très poussée, au crayon, précède la couleur. Que l'on

134

compare le dessin de ce « Panier de fruits » de 1930 à la gouache qui l'a suivi ; tout y est déjà, l'anse du panier et son ombre projetée, les fruits entiers et les fruits coupés, l'inclinaison d'une tige, les feuilles de part et d'autre, et jusqu'à la découpe du blanc réservé qui fera jouer les rouges et les bleus. Expression la plus secrète de la personnalité du créateur, le dessin révèle mieux encore que la peinture la distance d'un artiste à un autre — ou la parenté qui les unit. C'est dans leurs dessins qu'on voit le mieux ce qui sépare Bonnard de Lautrec, ce qui rapproche Cézanne de Poussin. Les croquis, toutes les premières notations d'un peintre indiquent s'il est avant tout un sensitif ou un constructeur et montrent, confrontés aux tableaux, s'il est demeuré fidèle à lui-même. Pour Bonnard le dessin est bien « la sensation », et si l'on ne connaissait sa façon de procéder il serait bien difficile de dire si la peinture a suivi le dessin, ou le dessin la peinture...

Entre « Le café du Petit Poucet » et les scènes de genre précédentes il existe une différence essentielle : le sujet lui-même tend à disparaître au profit de la magie colorée. Bonnard cherche de plus en plus à fixer, à capter la lumière étrange où il voit baigner toutes les apparences. Il le confie à Pierre Courthion à la veille de ses expositions de 1933 chez Bernheim et chez Braun : « Je crois que lorsqu'on est jeune, c'est l'objet, le monde extérieur qui vous enthousiasme : on est emballé. Plus tard, c'est intérieur, le besoin d'exprimer une émotion pousse le peintre à choisir tel ou tel point de départ, telle ou telle forme. » « Je travaille beaucoup, écrit-il à Charles Terrasse au début de la même année, de plus en plus enfoncé dans cette passion périmée de la peinture. Peut-être en suis-je avec quelques-uns l'un des derniers survivants. L'essentiel est que je ne m'ennuie pas... »

VI

L'ÉCLAT DE LA LUMIÈRE

« Il nous montra quelques maisons à colombages auxquelles la lumière du crépuscule avait donné une douce teinte rouge indescriptible. Il devint ardent, éloquent, craignant que quelque chose ne nous échappe de toute cette beauté. »

Ingrid Rydbeck [1].

« Cette passion périmée de la peinture » ... il y a dans ces mots une nuance de regret. Bonnard sait bien en quoi son art, admiré par certains, peut toujours apparaître à beaucoup comme une poursuite du passé : il demeure fidèle à la nature, à la vie, aux humbles sujets de tous les jours. Le temps, les saisons, comptent encore dans son œuvre où l'inclinaison du soleil continue de marquer les heures. Le public cependant a accueilli le cubisme et le surréalisme; les jeunes peintres sont chacun à la recherche de nouveaux moyens d'expression, « la technique a été libérée, elle est devenue changeante comme l'art même, nombreuse comme les individus ». On ne voit pas son propre effort pour se renouveler dans son interprétation des sujets. « On ne m'aime pas beaucoup, dit-il à Pierre Courthion; je comprends ça : c'est ce qui se passe à chaque génération. Cela ne fait rien, aujourd'hui, ils sont durs... »

L'exposition de juin 1933 chez Bernheim— complétée au même moment d'une exposition de Portraits organisée par George Besson à la Galerie Braun — comprend toute une série de toiles de grandes dimensions, frappantes par la recherche et l'éclat de la lumière. Double reflet de ce qu'il voit et de ce qu'il imagine, elle les imprègne d'éclats jaunes et chauds qui font vibrer les couleurs comme dans un brasier. Le blanc, de plus en plus destiné à « rendre lumineuses des taches très colorées », tient aussi une grande place dans ces tableaux, souligné parfois de couleurs sombres allant jusqu'au noir. « Rendre possibles des couleurs fortes dans la lumière par le noir et le blanc voisins », ajoute Bonnard dans son carnet. Clarté du

1. Chez Bonnard à Deauville, *Konstrevy*, Stockholm, 1937.

porte-fenêtre, 1933.

Intérieur blanc, 1933.

140

jour ou lumière du soir, c'est là le prétexte le plus certain des grandes compositions intitulées « La porte-fenêtre » ou l' « Intérieur blanc ». On retrouve
dans « La porte-fenêtre » ces grandes lignes verticales et horizontales qui
constituent l'armature de la construction et scandent le rythme de la couleur,
compensés — comme chez Vermeer — par la tranquille attitude d'une
femme à son occupation familière. Les reflets d'une glace, où nous recon-
naissons le peintre, nous introduisent au fond de la pièce; en chacune des
vitres de la fenêtre, comme en autant de tableaux, s'inscrivent les couleurs
de la campagne méditerranéenne au loin. Dans l'« Intérieur blanc » du
musée de Grenoble les lignes verticales de la cheminée, du mur, d'une
porte, d'un radiateur, de la fenêtre ouverte, établissent des plans successifs
dont les angles se suivent comme les marches d'un escalier, repris en retour
par le coin d'une table et le bord d'un plateau. La disposition rigoureuse
de ces angles a suscité l'inscription circulaire d'un profil de femme penchée
vers un chat au centre du tableau; on ne la voit pas, d'abord; elle se confond
dans les tigrures du tapis : ici réapparaît le goût de l'énigme et du secret.
Le sentiment de la durée se joint à celui de l'espace dans cette composition
où se répondent les thèmes habituels, le paysage vu de la fenêtre, la présence féminine dans l'intimité quotidienne. Le blanc qui illumine les couleurs
les réfracte toutes comme la nacre.

De bleues qu'elles étaient les ombres deviennent dorées et orangées,
enveloppantes comme une auréole de mystère. Le carmin, la garance, le
vermillon chantent ensemble, parfois scandés de vert — tel le vert d'une
assiette ou de quelques raisins dans ce somptueux « Placard rouge », qui
évoque Chardin par l'intensité du recueillement devant les objets les plus

141

Coin de salle à manger, au Cannet. Gouache, vers 1930.

Le placard rouge, vers 1933. ▶

simples. A ces harmonies s'ajoutent les accords de verts, de roses et de bleus des jardins de Vernon ou du Midi; le peintre part souvent de l'une de ces couleurs et tisse autour sa broderie. Les tons s'excitent l'un l'autre et c'est de leur contraste, de leurs oppositions, que naissent les valeurs. Le dessin, toujours imprévu, est fait de raccourcis étonnants; la perspective semble négligée, mais c'est au profit de la vie la plus spontanément exprimée. Dans cette irradiation tout prend une valeur d'offrande et de joyau; la pièce la plus simple devient une scène de palais. L'intimité ici est une sorte d'intimité au grand jour, pure de toute étroitesse et de toute méfiance, d'où naît cette sensation de liberté. La magie de la couleur fait de chaque chose un objet rare et précieux que nous croyons découvrir dans un rêve, l'or, le vert, le bleu chantant jusque dans l'ombre. D'étranges correspondances naissent de ces transferts, et il faut regarder longuement pour voir que ce fruit d'un jaune vif est une théière et que cette nappe bleue où jouent des pierres est un jardin. Claude Roger-Marx saisit et définit immédiatement les caractères d'un art qui s'évade de plus en plus du réel : « Une transposition continuelle, qu'il s'agisse de la ligne ou de la couleur, le don d'oublier aussi bien le ton local des objets que l'apparence usuelle des formes, l'art de considérer chaque tableau comme un univers qui a ses exigences propres, voilà ce qui rend si émouvants ces paysages, ces nus, ces natures mortes où tout paraît faux du point de vue de la connaissance logique, mais où tout devient vrai par soumission aux nécessités picturales. »

Bonnard passe les trois derniers mois de l'année 1933 à La Baule; en 1934 il y séjourne à nouveau durant le mois d'avril et il loue de juin à septembre une villa à Bénerville-sur-Mer, où il compose la « Table servie et

...ns la salle à manger du Cannet.

Table servie et jardin. Bénerville-sur-mer, 1934.

jardin » du musée Guggenheim. Comme dans la « Salle à manger » peinte à Arcachon en 1930-1931 (maintenant au Musée d'Art Moderne de New York) les objets de la table sont rapprochés de nous dans cette perspective qui les fait basculer vers le spectateur et filer sous les yeux; puis le regard est entraîné au loin dans la lumière du paysage. Cette confrontation entre l'espace du dehors et l'univers clos du dedans est soulignée par la description des objets, précisés dans leur forme linéaire, alors que le jardin du fond et les verdures ne sont que frémissements; si on l'isole du reste du tableau, la table servie rappelle par l'agencement symétrique des compotiers, par l'allongement horizontal de la composition, certaines œuvres cubistes. De

...in de table, 1935.

...ble servie et jardin, détail. ▼

Page d'agenda (27 et 28 octobre 1934),
avec l'esquisse du *Coin de table*.

Deauville, 1937. ▶

la même année 1934, le « Coin de table » du Musée d'Art moderne de Paris fait songer par sa structure à quelque nature morte de Braque, semblant devoir tomber, mais rattrapée par des accents foncés qui la retiennent : c'est le rôle assumé aussi par cette petite chaise, vue dans une perspective surprenante, et qui dégage dans l'espace la table recouverte de son tapis rouge. Chacun de ces tableaux éveille un trouble nouveau, une émotion où la surprise précède le charme. S'il apporte une solution de peintre à chacune des difficultés qu'il s'est proposé de résoudre, Bonnard le fait sans quitter tout à fait le monde réel; si loin qu'il aille dans sa transfiguration il demeure près de nous.

Il se rendra régulièrement à Deauville toutes les années suivantes, jusqu'à la veille de la guerre : s'il aime le soleil du Midi, il juge plus intéressante la lumière du Nord, « qui change sans cesse ». « C'est Boudin qui m'a signalé Deauville; il prétendait qu'il n'y a aucun endroit en France où le ciel soit si beau et si varié, et je dois lui donner raison. » Ce souvenir a été confié à Ingrid Rydbeck en 1937 au cours d'un très intéressant entretien rapporté dans la *Konstrevy* de Stockholm. « Avec un peu de chance on pouvait rencontrer l'été dernier à Paris la plupart des grands artistes français qui, en pleine chaleur de juin, y avaient prolongé leur séjour, soit à cause de l'Exposition où tous les arts se trouvaient réunis, soit pour organiser leur exposition personnelle au Petit Palais ou ailleurs — Maillol, Matisse et Picasso étaient là, comme Derain, Vuillard et beaucoup d'autres. Mais Bonnard manquait. » ... Il était précisément à Deauville, où Ingrid Rydbeck vint le retrouver. C'est alors qu'il lui expliqua ce que furent ses recherches à la suite des Impressionnistes, et sa volonté de tirer de la couleur

149

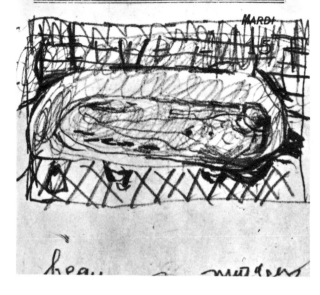

Page d'agenda (15 juin 1937),
avec une esquisse
pour un *Nu dans le bain*.

Pages d'agenda (26, 27, 28 février 1938),
avec une étude au crayon
pour un *Nu dans le bain*.

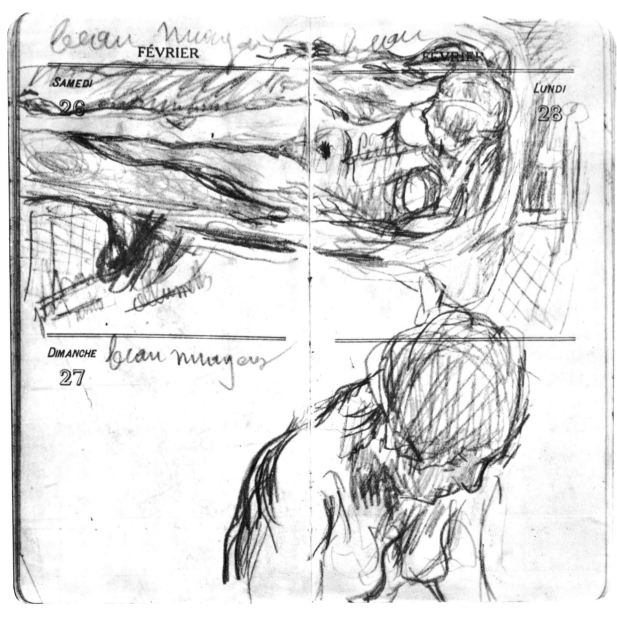

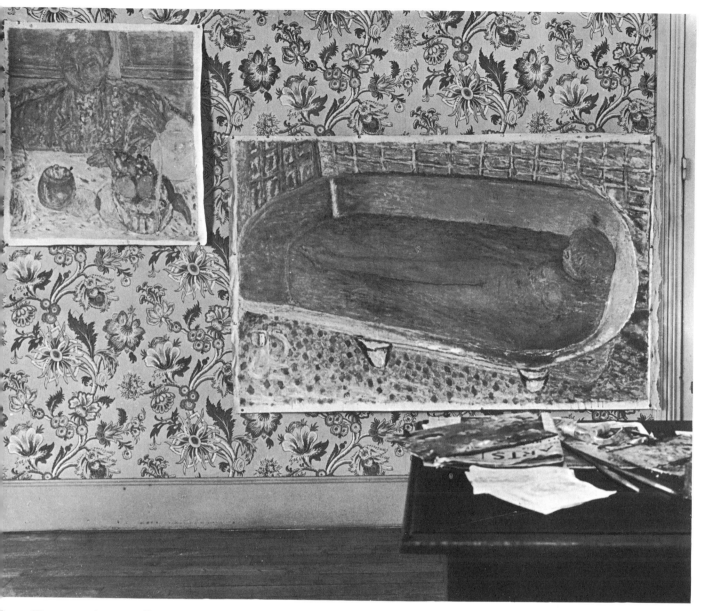

Deauville, 1937. Au mur d'une chambre, un *Nu dans le bain* en cours de travail.

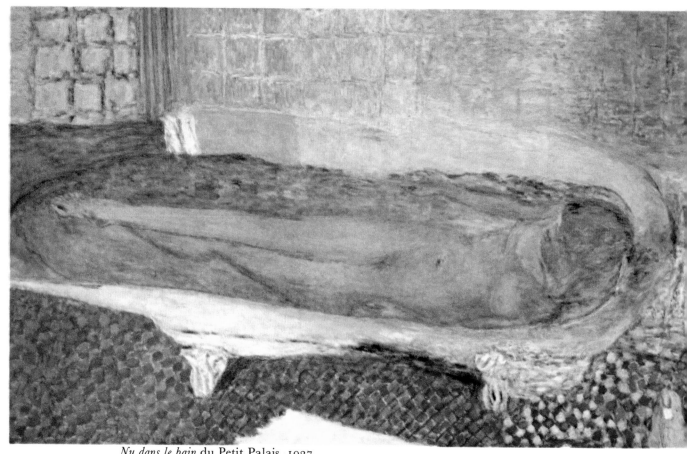

Nu dans le bain du Petit Palais, 1937.

de toutes autres possibilités d'expression. Il se plut à opposer devant elle la sobriété des gravures japonaises au dessin compliqué du papier peint de sa chambre, sur lequel il les avait fixées : « C'est très amusant devant le dessin de ce papier avec ses ombres et ses reliefs de comparer la manière occidentale avec celle de l'Orient, caractérisée par des surfaces nues et décoratives. » Transportant toujours ses toiles avec lui, il travaillait alors à un « Nu dans le bain ». « Je n'oserai plus m'engager dans un motif si difficile. Je n'arrive pas à faire ressortir ce que je veux. J'y suis déjà depuis six mois, et j'ai du travail pour plusieurs mois encore. » L'évolution de ses nus est très révélatrice : de « L'indolente » — toute volupté — au « Nu à contre-jour » de Bruxelles — caressé de soleil et de tendresse —

puis au « Nu devant la cheminée » de Winterthur — expression de beauté plastique — le peintre semble se détacher du modèle pour se rapprocher de la peinture; le « Nu dans le bain » du Petit Palais est avant tout un magnifique tableau où l'on sent « la présence dominatrice du peintre lui-même ». Les couleurs et les reflets élèvent cette longue femme à on ne sait quelle dignité de princesse lointaine. L'allongement du corps est rompu par des pans verticaux de lumière qui tombent comme de fines étoffes; l'or, le jaune, le bleu et le mauve viennent se fondre dans l'eau. Deux ombres rouges, au premier plan, jouent parmi les faïences; un coin de tapis blanc éclaire la baignoire qui disparaît dans les reflets. Le drame entre la forme et la couleur se résout dans la lumière. La richesse de cette toile est d'autant plus surprenante qu'à la regarder attentivement la touche y apparaît très fine et très égale; l'huile, ici, est légère comme l'aquarelle.

L'aquarelle, cependant, il ne l'utilise toujours qu'avec beaucoup de gouache. « La technique de l'aquarelle m'irrite; on cherche à faire paraître le papier blanc pour que l'effet de lumière soit atteint. C'est illogique à mon sens. D'ailleurs je travaille si lentement qu'il me faut employer des maté-riaux avec lesquels je puisse constamment apporter des changements, ajouter quelque chose de nouveau. » Ses petites vues de Trouville et de Deauville sont d'une grande délicatesse; le dessin sans ombre, la couleur vient s'y ajouter avec cette liberté et cette précision dont l'alliance est si rare; on sent le sable et l'eau, on respire l'air marin à regarder ces notations très fines. La gouache, posée comme du givre, ne donne que plus de transparence à l'aquarelle; il la traite souvent comme l'huile — notamment dans ce « Panier de fruits » sur fond rouge d'une surprenante densité. Projets ou esquisses

Paysage. Mine de plomb, vers 1930.

A Deauville, 1937. ▶

154

Panier de fruits. Gouache, vers 1935.

Palettes et pinceaux,
avec une assiette de fruits.
Deauville, 1937.

Le bateau jaune, 1938. ▶

156

de tableaux, les gouaches de Bonnard sont faites aussi pour elles-mêmes, et il leur donne autant d'importance qu'à ses toiles. Après avoir pris de rapides croquis — « aussitôt que je trouve un éclairage, un paysage, une atmosphère qui me saisit » — et les avoir munis parfois d'annotations — croix et points — sur les couleurs, il revient peindre à l'atelier. S'il s'agit d'une huile, les grandes lignes de la composition sont jetées rapidement au fusain, puis viennent les premiers accords, toujours plus lents; « la couleur a une logique aussi sévère que la forme ». Il procède par petites touches, s'éloigne pour juger de l'effet obtenu; souvent même il détache la toile du mur pour la coucher sur le sol, la transporter à différentes lumières, afin de mieux saisir les rapports de couleurs, les défauts à corriger : il n'est que rarement satisfait, et reprend ses travaux à des années parfois d'intervalle. Ses scrupules rejoignent ceux d'un artisan consciencieux, et il note dans son carnet, avec humour à la fois et respect, qu'un peintre en bâtiments lui dit un jour : « Monsieur, la première couche en peinture, cela va toujours; je vous attends à la seconde... » Le rappel de ce mot, le fait de l'avoir noté montre sa curiosité incessante, et son attention aux autres. Il implique son dédain des grandes phrases et des idées toutes faites. « On se repent toujours d'avoir sur l'art des pensers lapidaires. » « C'est bon d'enfourcher un dada, mais ne pas croire que ce soit Pégase. » ...Depuis ses premières toiles il n'a cessé d'évoluer, non sans hésitation parfois, mais toujours dans une technique différente et vers l'approfondissement intérieur. Une phrase prononcée devant Madame Hedy Hahnloser appuie ce qu'il avait confié déjà à Pierre Courthion : « Quand on est jeune on s'enthousiasme pour un

158

Paysage. Mine de plomb, vers 1930.

endroit, pour un motif, pour la chose de rencontre. C'est cet émerveillement qui fait peindre. Plus tard on travaille autrement, guidé par le besoin
d'exprimer un sentiment, on choisit alors un point de départ mieux en
rapport avec ses propres capacités. »

Les ombres dorées, orangées, les taches de jaune se retrouvent dans
toutes ses peintures, autour du « Bateau jaune » comme sur les façades
des maisons ou dans le ciel du « Port de Trouville ». On remarque ici quelques accords de rouge, de violet et de bleu repris dans ce « Paysage méditerranéen » qui annonce avec ses mélanges de verts et de roses travaillés
de blancs sa dernière facture. On voit ses dessins et ses gouaches chez
Jacques Rodrigues-Henriques, rue Bonaparte. Il expose aussi à Londres
et à Stockholm, à Bruxelles et à Amsterdam, aux États-Unis, où il a obtenu
en 1936 le deuxième prix Carnegie. Charles Kunstler note que « cet homme
qui approche de sa soixante-dixième année et qui commence à peine à
grisonner a conservé la silhouette et le visage d'un quadragénaire. Il est
mince et souple, et derrière ses lunettes à branches d'argent, son œil d'un
brun doré a gardé toute la vivacité ingénue du jeune âge ».

VII

LA VISION SOUVERAINE

« La vision souveraine des plus grands peintres, c'est celle des derniers Renoir, des derniers Titien, des derniers Hals — semblable à la voix intérieure de Beethoven sourd — la vision qui veille en eux quand ils commencent à devenir aveugles. »

André Malraux.

En 1938 Bonnard vend sa maison de Vernon. Il se rend une dernière fois à Trouville, et à partir de 1939 vit retiré au Cannet. La guerre arrive : il ne reviendra à Paris qu'à la fin des hostilités. Très affecté par le malheur de son pays il pense avec tristesse à la capitale, à Montmartre, aux paysages de Normandie; seul le travail lui procure quelque réconfort, le « travail consolateur ». Tôt le matin il prend le sentier rose et part dans la campagne; il suit le bord du petit canal de la Siagne ou monte dans les collines. « C'est déjà sauvage, et je réfléchis. » Dans son carnet, selon son habitude, il note le temps : beau, nuageux, couvert. « Cela me rappelle la lumière », dit-il. « Par temps beau mais frais, il y a du vermillon dans les ombres orangées, et du violet dans les gris », avait-on déjà pu lire. Rien en lui qui ne parte de l'observation. Rien non plus qui n'aboutisse à une vision singulière. La nature lui apparaît comme au premier jour. Cette campagne autour du Cannet, à quoi se réduit son univers, il la multiplie, la transpose dans toutes les couleurs; la voici continuellement inondée de soleil, éclatante comme une pierre rare. Les teintes jouent toutes ensemble : les tons nouveaux sont des tons secondaires — lilas et roses — qui aident au passage d'un mode à l'autre; le blanc se fond dans les couleurs qu'il irise. Ce mauve à côté d'un bleu, ce rose près du mauve n'ont pas été ajoutés au hasard et sans décision; ils sont là pour répondre aux exigences du tableau, à sa construction qui s'opère de plus en plus par la couleur. Les rapports des ombres et des lumières sont inversés, pour assurer l'équilibre de la composition. « Bonnard, avec une science incomparable, altère systématiquement les rapports, renverse l'ordre des valeurs. On peut dire de sa technique, comme de celle de la plupart des grands coloristes modernes,

163

qu'elle consiste à niveler la surface en remplaçant par des tons égaux, chauds et froids, les valeurs contrastées que nous offre la nature. Ainsi le modelé et le clair-obscur classiques font place à une demi-teinte toute frémissante d'un feu secret, les ombres répandues un peu partout dans le modèle étant localisées à petite dose sur quelques points élus [1]. » L'espace semble ainsi confondu dans un plan unique; mais peu à peu apparaissent les montagnes, les champs, les sentiers, des petits personnages, une humble maisonnette dont on n'avait vu d'abord que le rouge du toit. Ses natures mortes — des paniers et des assiettes remplis de fruits, entourés de bouteilles et de pots — offrent une découpe nouvelle; on dirait un détail photographique saisi de haut ou de côté par un objectif très proche qui tournerait autour de la table. L'effet de surprise passé, on découvre le nom des fruits, on sent l'espace entre les objets cernés parfois de noir et de brun. Les teintes délicatement superposées créent une illusion de phosphorescence.

1. André Lhote.

Dans l'atelier du Cannet, 1945.

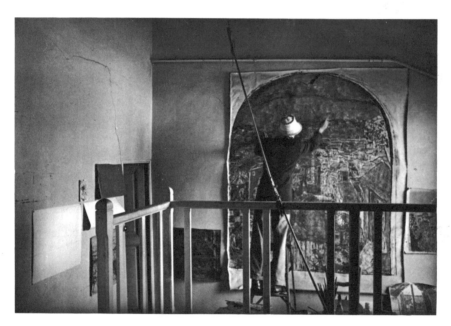

Au travail.
Saint François de Sales, 1945.

Au travail.
Saint François de Sales, 1945. ▶

166

Marthe Bonnard meurt le 26 janvier 1942. Bonnard ne dit rien de sa peine, mais il ferme à clef la chambre de sa femme. Madeleine Bonnard, sa nièce, vient passer quelques semaines auprès de lui; Henri Matisse, Maillol, lui témoignent leur amitié. Il demeure frappé; lui qui n'avait commencé à grisonner que vers soixante-dix ans, a blanchi maintenant. Sa silhouette demeure jeune cependant, et il conserve ce don de « perpétuelle surprise » dont parle Maurice Denis. « Heureusement j'ai pu recommencer à travailler », dit-il à quelques jeunes peintres venus le voir. Il s'est remis à la lithographie en couleur, à la demande de Louis Carré, et prépare toute une série de planches mises sur pierre par Jacques Villon.

« Le pinceau d'une main, le chiffon de l'autre », 1945.

Saint François de Sales, 1942-1945. ▶

Il commence, pour l'église du Plateau d'Assy, en Savoie, un « Saint François de Sales bénissant les malades » auquel il prête les traits de Vuillard. « Cette ressemblance a déjà été remarquée. C'est Verkade, je crois, qui le premier a trouvé dans Vuillard la même configuration du crâne, le même nez effilé. » Dans son atelier — au-dessus du placard sur lequel sont posés des pinceaux, des brosses, des flacons d'essence — quelques petites reproductions et des cartes postales en couleurs sont fixées au mur, parmi ses dessins, et une toile de Renoir dédicacée... Il y a là notamment « La ruelle » de Vermeer, des « Nymphéas » de Monet, une estampe japonaise, « La vision après le sermon » de Gauguin, « Une baignade » de Seurat; des reproductions de jeunes peintres. « On est frappé par des rapports très agréables que les peintres saisissent et casent dans leur peinture. » Voici un marbre antique. « La beauté d'un morceau de marbre antique réside dans toute une série de mouvements indispensables aux doigts » — puis une figure cubiste de Picasso. « Le cubisme a été néfaste à ceux qui n'avaient pas de formation; il a été utile à ceux qui en avaient une. » Quant aux chromos, « regardez-les, disait-il, car on peut extraire de la beauté de tout ».

Des expositions de ses œuvres sont organisées aux États-Unis, et à Paris; plusieurs revues lui consacrent des numéros spéciaux, ou des articles importants : la renommée ne l'atteint pas, ou ce n'est que pour le gêner. « Je sens bien qu'il y a quelque chose dans ce que je fais, mais de là à en faire tout ce battage, c'est insensé... » Il continue de peindre tranquillement les fleurs et les fruits de son jardin; rétréci à quelques sujets monotones, son univers n'en est pas moins riche, ni moins varié : c'est qu'il

montagne bleue. Lithographie en couleurs, 1943.

L'avant-midi, 1946.

Dessin. Mine de plomb, vers 1943-1945.

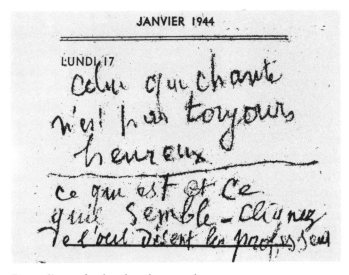

Page d'agenda (17 janvier 1944).

invente toujours, mêle l'une à l'autre toutes les couleurs, scelle toutes les alliances. Il compose ces toiles radieuses alors qu'il est seul, âgé, isolé par la guerre dans le Midi. Mais au même moment on trouve dans son carnet cette petite phrase : « Celui qui chante n'est pas toujours heureux. » Et ceci donne à sa joie sa véritable résonance, et à sa peinture sa véritable grandeur; sa joie n'est qu'une tristesse vaincue; si l'on ne voit pas sous la fête des couleurs le drame ou le désespoir de l'homme, c'est qu'il a réussi à « embellir », comme disait Renoir. George Besson avait évoqué cette tristesse dans un article du *Point,* à la faveur d'un billet reçu de lui. « Aujourd'hui, c'est un mauvais jour. La neige tombe depuis ce matin; la femme de ménage est malade, l'électricité ne marche pas, et le lait ne sera probablement pas porté ce soir. A part ça tout va bien Madame la Marquise. »...

Bonnard revient à Paris en 1945, et y passe les trois premières semaines de juillet; il descend à l'Hôtel Terminus, près de la gare Saint-Lazare, non loin ainsi de Montmartre, où il a toujours son atelier rue Tourlaque. Il montre des dessins et des gouaches chez Jacques Rodrigues-Henriques, et on verra dix de ses toiles à l'exposition « Peintures contemporaines » organisée au château de Fontainebleau par Charles Terrasse, qui en est le conservateur : il s'agit d'œuvres appartenant à des collectionneurs

175

Sous le figuier, au Cannet, 1943.

Paysage du Midi. Mine de plomb, vers 1943.

particuliers, abritées là pendant la guerre. Puis il revient au Cannet, avec sa nièce Renée Terrasse qui demeurera auprès de lui.

Des dessins et des toiles naissent dans le petit atelier, qui frappent par une liberté nouvelle. Quelle confidence dans ces lignes immatérielles, ces points et ces signes délivrés du poids de la ressemblance; cette sténographie impatiente révèle un certain détachement des choses; le peintre ne veut plus voir que les couleurs dans la lumière. Et ces couleurs prennent tout à coup une densité tragique : il faut les saisir avant la fin. Posées fébrilement, en taches vigoureuses, elles évoquent des tissus d'Orient, une fabuleuse richesse; une pluie de pierres tombe sur les jardins. Parfois elles se blottissent ensemble; des complicités existent entre des bleus, des mauves et des violets pour faire vibrer les verts voisins. Mais un ton seul, aussi, peut s'opposer fièrement à toutes les alliances et le rouge d'un toit ou le vert acide d'un arbre résistent à tous les complots. Le tableau naît du jeu des matières colorées, de leurs rapprochements inattendus. Les contrastes de lumière ne sont traduits eux-mêmes que par des oppositions de couleurs vives. « Il m'apparut qu'il était possible de traduire lumière, formes et caractère rien qu'avec la couleur, sans faire

177

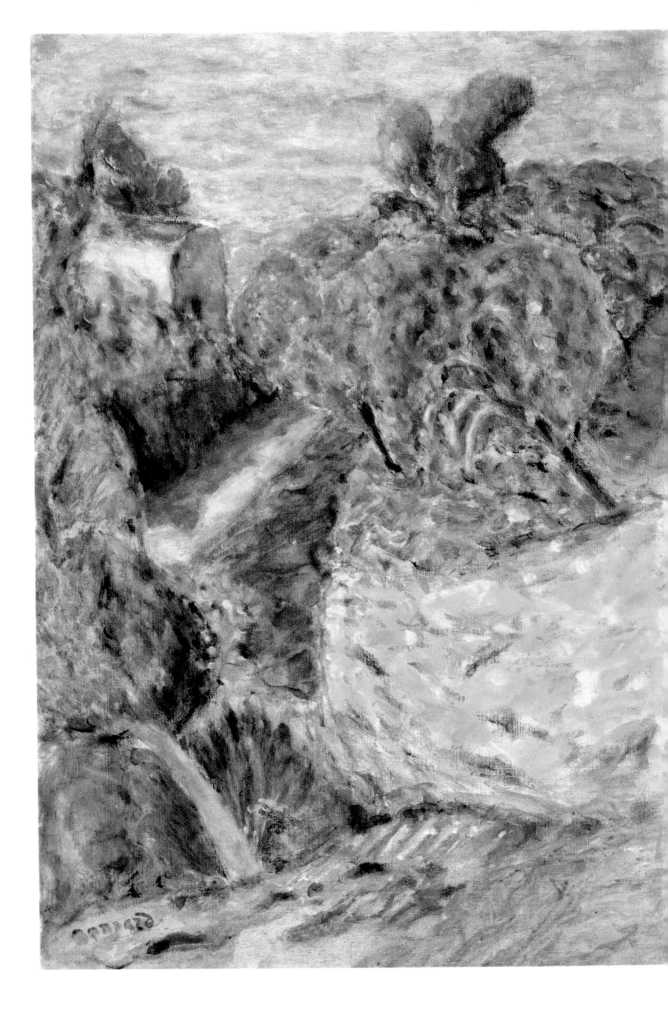

appel aux valeurs... » La découverte effectuée autrefois au contact des petites images japonaises achève de se réaliser. Ce qui assure la continuité de cette œuvre tout au long de son parcours c'est aussi la persistance d'une curiosité sans cesse éveillée. A plus de soixante-quinze ans, composant sa dernière « Salle à manger », Bonnard cherche, explique-t-il lui-même, « à montrer ce qu'on voit quand on pénètre soudain dans une pièce, ce que le regard embrasse d'un seul coup ». Ses paysages et ses intérieurs se jettent en quelque sorte aux yeux du spectateur. Il nous montre ce qu'en poète il a vu dans la nature, un sentier qui monte dans le ciel, un paysage qui bascule dans l'ivresse de la lumière, et la signature elle-même est emportée dans ce vertige. Tout vibre de spontanéité, de fraîcheur, de sincérité dans ces toiles éperdues. Mais un ordre règne aussi dans cet apparent désordre; ici un mauve phosphorescent répond à un bleu intense et leur accord souligné d'un rouge insolite fait vibrer tous les jaunes alentour; là un ocre qui court dans les champs pénètre ensuite dans la montagne, puis se répand en traînées de soufre dans le ciel — et assure ainsi l'unité du tableau. Le trait d'un toit, les lignes d'un mur ou d'une fenêtre compensent les volutes des taches colorées, sans qu'il y ait de rupture dans le rythme : « En peinture comme en musique, compter un, deux, trois... » Bonnard atteint à la plus grande densité de son art; tout ce qui naît de sa main porte sa marque; et il lui suffit pour s'exprimer d'une pêche seule. La lumière qui confond la campagne, la mer et le ciel s'ordonne selon sa vision intérieure. « Un tableau est un petit monde qui doit se suffire. »

La différence étonne entre l'aspect frêle et fragile de Bonnard, et l'impression d'ampleur donnée par son œuvre. Il retrouve son image dans la

glace du cabinet de toilette, vieil homme triste et seul que l'âge fait ressembler à un Japonais — plus japonais, a-t-on fait remarquer, qu'aucune de ses peintures. Il est sans complaisance à l'égard de lui-même; dans la lumière du matin ou dans celle du soir on ne voit qu'un regard intense qui prend plus qu'il ne donne. Il semble se défier de soi, provoquer à son encontre la même distance qui s'établit parfois entre les autres et lui. Et sans doute a-t-il toujours vécu un peu à l'écart, en retrait, sacrifiant à la fin toutes les passions à sa passion de la peinture : « Que serait un peintre sans la peinture? »

Traité comme un portrait, « Le cheval de cirque » offre d'abord l'étrangeté d'une apparition; son profil rappelle ces chevaux de fiacre que le peintre aimait à montrer autrefois en attente le long du boulevard. La silhouette désincarnée, l'ascension pyramidale de l'encolure blanche, l'inscription triangulaire de la tête tournée de trois quarts au centre du tableau, le béant noir des yeux, tout concourt à cette étrangeté. On ne sait quelle allure et quelle distinction opposent cet animal à l'écuyer falot qui lui fait lever l'antérieur droit; il accomplit son geste avec une sorte d'indifférence hautaine, son regard tout entier tourné vers le spectateur. Comment ne pas sentir dans ces yeux, comme Duncan Phillips, « toute l'émotion et la fierté de l'artiste ». C'est le regard non seulement de celui qui observe, mais de celui qui voit. « Il y a peu de gens qui savent voir, bien voir, voir pleinement, dit Bonnard. S'ils savaient regarder, ils comprendraient mieux la peinture. » Une certaine circonspection, encore, cette réserve, cette retenue — et l'élégance générale des lignes — font venir à l'esprit le mot *intelligence* devant cette toile.

181

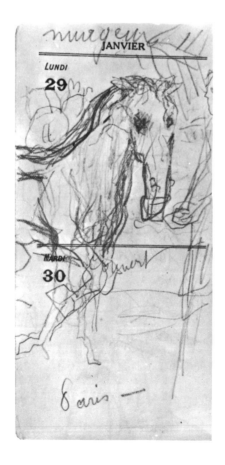

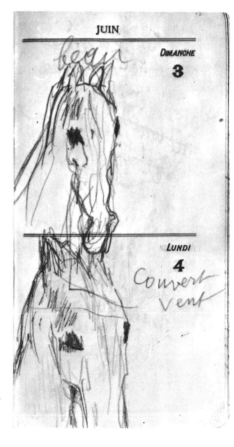

Autoportrait, 1945. ▲

Pages d'agenda (1934),
avec des études pour
Le cheval de cirque.

cheval de cirque. Terminé en 1946.

Bonnard vient de nouveau à Paris pour quelques semaines, du 27 juin au 21 juillet 1946. Les fils de Josse Bernheim — Jean et Henry — lui consacrent leur première exposition d'après-guerre, rue Desbordes-Valmore. Il se rend au Salon des Réalités Nouvelles, première grande manifestation d'art non figuratif. Toujours attiré par les moyens nouveaux d'expression, il souligne lui-même la nécessité de toutes les recherches : « En art il n'y a que des réactions qui comptent. » Mais il dit aussi sa conviction que « l'art ne pourra jamais se passer de la nature ». « Si on oublie tout, il ne reste plus que soi et cela n'est pas suffisant. Il est toujours nécessaire d'avoir un sujet, si minime soit-il, de garder un pied sur terre. » Chez Louis Carré, il rencontre Jacques Villon, André Lhote, Chagall. A Fontainebleau, il retrouve pour la dernière fois Léon Blum, son ami du temps de la Revue Blanche. Il voit encore l'éditeur Tériade, qui prépare le numéro de *Verve* consacré à des pages de ses carnets et à ses travaux récents. Recherché, fêté, il garde toujours la même humilité. « Je commence seulement à comprendre, dit-il à Jean Bazaine, il faudrait tout recommencer. »

De retour au Cannet, il retrouve avec joie son atelier. « Jamais la lumière ne m'a paru si belle. » Au mur sont fixés des projets de décoration et quelques toiles commencées déjà depuis de longs mois, « La Salle à manger », une « Nature morte », le « Paysage du Cannet au toit rouge », « L'Amandier », et « L'Avant-midi », grande composition en hauteur. C'est ici la pleine lumière du jour dans le jardin où la table a été dressée. On est encore dans la fraîcheur de la maison, à l'intérieur d'une pièce que délimitent à gauche un pan de mur rose, une porte à droite; mais voici

Dans l'atelier du Cannet.

Une *Nature morte*, le *Paysage du Cannet au toit rouge*,
La salle à manger et *L'amandier en fleur*, au mur de l'atelier, en 1946.

1946. ▶

qu'arrive toute la chaleur du dehors. Du sol embrasé monte la nuée des couleurs qu'excitent de part et d'autre le blanc de la nappe et deux taches noires dont l'une est donnée par le bouton de la porte. Une servante à peine visible dans le soleil apporte un plateau...« Le nez sur la toile », Bonnard pose les couleurs du bout de son pinceau ou de sa brosse, ou les écrase d'un geste vif du doigt. Il est ébloui de couleurs et de lumière. « Quand on couvre une surface avec des couleurs, il faut pouvoir renouveler indéfiniment son jeu, trouver sans cesse de nouvelles combinaisons de formes et de couleurs qui répondent aux exigences de l'émotion. » « Le tableau est une suite de taches qui se lient entre elles et finissent par former l'objet, le morceau sur lequel l'œil se promène sans aucun accroc... » Entre les heures consacrées au travail, il lit les œuvres de Giraudoux ou d'André Suarès, qu'il a rencontré à plusieurs reprises durant ces dernières années et avec lequel il a parlé de Rouault. Il relit « A la recherche du temps perdu », et tout Mallarmé, « jusqu'au texte même des thèmes anglais ». De jeunes artistes viennent le voir en cet ultime été. Chacun demeure frappé par la gentillesse de son accueil et par sa modestie. « Durant ces quelques semaines où sa présence magnifiait encore pour moi la beauté du paysage, j'ai vu plusieurs peintres transfigurés d'une visite au Cannet », écrit Jean Leymarie. « Ils n'en rapportaient aucun secret de métier, mais le souvenir ébloui d'un artiste réalisant enfin le vœu de Gœthe, la difficile simplicité. Ils se sentaient un peu meilleurs et plus peintres qu'auparavant. »

A Paris du 7 au 20 octobre, il présente douze toiles au Salon d'Automne. A Fontainebleau, dans le château où Poussin et Chardin vinrent restaurer les fresques du Primatice, il retouche et achève « L'atelier au

188

mimosa » et « Le cheval de cirque ». Il revient au Cannet très fatigué et très amaigri. Ses forces déclinent. Il songe à ses amis des premières années, Vuillard, Maurice Denis, Roussel, Maillol : tous sont disparus. Il aspire lui-même à la paix. « Je ne serai bien que sous les choux... » Dans sa petite chambre aux murs nus il s'est fait apporter un seul tableau, son dernier « Amandier ». Un vert le gêne en bas à gauche, là où il a mis déjà sa signature; il demande à son neveu Charles de l'aider à le recouvrir d'un jaune d'or. Quelques jours après, Bonnard s'éteint le 23 janvier 1947.

Cet arbre en fleur qui s'élance dans le ciel avec l'éclat de la neige est un symbole non seulement de la vie triomphante, mais aussi de l'éternel besoin de l'homme, et de sa puissance, de créer.

BONNARD ET SON TEMPS

Paysage du Dauphiné.

Inauguration de la Tour Ei

1867	Naissance de Pierre Bonnard à Fontenay-aux-Roses. Son père Eugène Bonnard, fonctionnaire au Ministère de la Guerre, est dauphino Sa mère, Elizabeth Mertzdorff, alsacienne. Il a un frère, Charles; sa sœur Andrée épousera en 1890 le compositeur Clau Terrasse.
1875-1889	Excellentes études aux lycées de Vanves, Louis-le-Grand, Charlemagne. Vacan au Grand-Lemps, près de La Côte-Saint-André, en Dauphiné. Il peindra souve la propriété familiale des Bonnard, « Le Clos ». Manifeste déjà beaucoup de goût pour le dessin.
1886-1887	Licence en Droit. Son père le destine à la carrière administrative. S'inscrit en même temps à l'Académie Julian, où il rencontre Paul Sérusi Maurice Denis, Gabriel Ibels, Paul Ranson.
1888-1889	En octobre 1888, Sérusier montre à ses camarades une petite huile peinte à Po Aven sous la dictée de Gauguin. Reçu à l'École des Beaux-Arts, où il passe un an et fait connaissance d'Édoua Vuillard et de Xavier Roussel. Échoue au concours de Rome. — Vend un projet d'affiche, « France-Champagne — et décide de se consacrer uniquement à la peinture. Premier atelier rue Le Cl pelais aux Batignolles.
1890	Partage un atelier 28 rue Pigalle, avec Vuillard et Maurice Denis. Rencont grâce à Maurice Denis, Lugné-Poe, puis André Antoine, et Paul Fort.
1891	Fait sa première exposition, au Salon des Indépendants (mars). Expose ensuite, avec les Nabis, chez Le Barc de Boutteville (décembre). Projets de meubles, étoffes, paravents. Apparition sur les murs de l'affiche « France-Champagne »; elle fait impressi

Gauguin, *Paysage de Bretagne*.

1869 Naissance de Matisse.

1881 Naissance de Picasso.
1882 Naissance de Braque.

1886 Degas expose une série de nus au pastel.
Premier séjour de Gauguin en Bretagne.
1887 Gauguin à la Martinique.

etits paysages du Grand-   1888 Formation du groupe des Nabis (Sérusier-Bonnard-
emps et des environs.   Vuillard-Roussel-Ibels-Ranson-Maurice Denis-R. Piot).
ffiche « France-Cham-   1889 Exposition universelle; la Tour Eiffel.
agne ».   Exposition Gauguin — Bernard au Café Volpini.

exercice.   Exposition d'Art japonais à l'École des Beaux-Arts.
ortrait d'Andrée Bonnard.   Mort de Van Gogh.
    Peintures de Van Gogh et de Cézann e chez le Père Tanguy.

emmes au jardin.   Installation de la *Revue Blanche* à Paris.
a demoiselle au lapin.   Premier voyage de Gauguin à Tahiti.
a grand-mère aux poules.   Exposition Vuillard à la *Revue Blanche*.

Illustration pour « Marie ».

1891
    sur Toulouse-Lautrec, qui va composer à son tour des affiches.

1892
    Expose en mars aux Indépendants, en novembre chez Le Barc de Boutteville
    Remarqué par Roger-Marx, Gustave Geffroy, Albert Aurier.
    Compose ses premières lithographies.

1893
    Expose aux Indépendants.
    Illustre le *Petit solfège*, et les *Petites scènes familières* de Claude Terrasse.
    Expose chez Le Barc de Boutteville (avec les Nabis et Vallotton).
    Premières images des enfants nés au foyer de Claude Terrasse.

1894
    Expose chez Le Barc de Boutteville (Expositions de Nabis).
    Peint surtout des scènes de la vie de Paris.
    Premier portrait de Marthe, qu'il épousera en 1925.

1895
    Compose des scènes de rue.
    Tiffany expose un vitrail de Bonnard : *Maternité*.

1896
    Fait sa première exposition particulière, chez Durand-Ruel (Peintures-Affiches
    Lithographies).
    Illustre *Marie*, roman de Peter Nansen, publié dans la *Revue Blanche*.

1897
    Estampes en couleurs pour les Albums des Peintres graveurs édités pa
    Vollard.
    Modèle des marionnettes pour le Théâtre des Pantins, fondé par Alfred Jarry
    Claude Terrasse et Franc-Nohain.

Lugné-Poe.

corsage à carreaux.	Pissarro, Monet, Renoir, Degas exposent tour à tour chez Durand-Ruel.
partie de croquet.	
rois lithographies pour	Exposition Outamaro-Hiroshighé chez Durand.
« Escarmouche ».	Fondation de la Maison de l'Œuvre, théâtre de Lugné-Poe
chats.	— *Pelléas et Mélisande.*
	Ambroise Vollard ouvre une boutique rue Laffitte.
	Matisse et Rouault entrent dans l'atelier de Gustave Moreau.
rue en hiver.	Exposition Odilon Redon chez Durand-Ruel.
rue à Eragny.	Exposition Roussel à la *Revue Blanche.*
fiche de la	
Revue Blanche ».	
cheval de fiacre.	Vollard présente 100 peintures de Cézanne.
omnibus.	
Jardin de Paris.	Mort de Verlaine.
fiche pour le Salon des Cent.	Débuts de Matisse.
fiche pour l'exposition des	*Ubu-roi,* d'Alfred Jarry, à la Maison de l'Œuvre — Décors
intre graveurs, chez Vollard.	de Sérusier et Bonnard; musique de Claude Terrasse.
courses.	Exposition des Nabis chez Ambroise Vollard.
manège.	

195

Maurice Denis, *Hommage à Cézanne* (détail).

1898   *Marie*, de Peter Nansen, est édité en livre par la *Revue Blanche*. Les illustratio
de Bonnard séduisent Renoir.

1899   Vollard expose « Quelques aspects de la vie de Paris », recueil de douze estamp
en couleurs, où l'on retrouve les scènes de rue traitées déjà en peinture.
Bonnard, qui revient toujours en été au Grand-Lemps, aime y peindre ses neveu
et nièces jouant dans le jardin.
Loue vers cette époque un atelier, 65 rue de Douai.

1900   Expose aux Indépendants.
Compose 109 lithographies pour *Parallèlement* de Verlaine édité par Ambroi
Vollard.
Participe à l'exposition de groupe organisée chez Bernheim Jeune (les Nabi
Vallotton - Hermann-Paul - Maillol).
Loue une petite maison à Montval près de Marly-le-roi.

1901   Expose 9 tableaux au Salon des Indépendants.

1902   Expose 7 tableaux aux Indépendants.
Compose les 151 lithographies de *Daphnis et Chloé* édité par Ambroise Vollar
Juillet à Colleville, par Vierville (Calvados).
Participe à une exposition de groupe chez Bernheim Jeune.

1903   Expose aux Indépendants, au premier Salon d'Automne et participe à une expo
sition de groupe chez Druet.

ontmartre.
Mallarmé. ▶

cènes de Paris.
e palais de glace.

Mort de Mallarmé.

etite fille au chat.
'indolente.
a salle à manger (Fondation
ührle, Zürich).

Exposition de groupe (les Nabis-Cross-Signac-Luce) chez
Durand-Ruel, en hommage à Odilon Redon.
Deuxième exposition Cézanne, chez Vollard.
Mort de Sisley.

'après-midi bourgeoise.
arallèlement (Verlaine).
'homme et la femme.

Premier séjour de Picasso à Paris.
Othon Friesz et Raoul Dufy entrent à l'école des Beaux-
Arts.

a fin de l'hiver.

Exposition Cézanne chez Vollard.
Mort de Toulouse-Lautrec.
Première exposition Picasso chez Vollard.

Daphnis et Chloé.
Portrait de Claude Terrasse.

Exposition Matisse et Picasso chez Berthe Weil.
Exposition Toulouse-Lautrec chez Durand-Ruel.
1re exposition de Maillol chez Vollard (tapisseries et
statuettes).

e Pont de Paris.

Othon Friesz et Raoul Dufy exposent pour la 1re fois
aux Indépendants.
Fondation du Salon d'Automne.
Mort de Gauguin.
Dernier numéro de la *Revue Blanche*.

Londres.
◄ Montmartre.

1904   Séjourne à L'Étang-la-Ville.
        Expose des nus et scènes d'intérieur à une présentation de groupe chez Bernheim
        Jeune.
        Illustre les *Histoires Naturelles* de Jules Renard.
        En juillet à Varengeville.

1905   Peint une série de nus et des portraits — Espagne.
        A son atelier 60 rue de Douai.

1906   Fait chez Bernheim Jeune une exposition particulière; il s'attachera désormais
        à cette galerie, où il exposera régulièrement.
        Voyage en Belgique, en Hollande.

1907   Séjourne à Vernouillet.
        Voyage en Angleterre.

1908   Voyage en Italie, Algérie, Tunisie.
        En août à Quiberon.
        Illustre la « *628 E 8* » d'Octave Mirbeau.

1909   Séjourne à Médan (Villennes).
        Exposition particulière chez Bernheim Jeune.
        Premier séjour dans le Midi, chez Manguin, à Saint-Tropez (en juin).

1910   Travaille dans le Midi, où il rencontre Signac, Renoir.

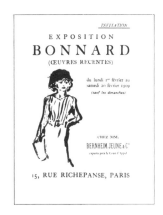

Histoires Naturelles (Jules Renard).	Première exposition de Matisse chez Vollard. Exposition Cézanne au Salon d'Automne. Picasso se fixe à Paris et s'installe au Bateau Lavoir.
Portrait de Vuillard.	Matisse et Derain travaillent ensemble à Collioure. Salle des Fauves du Salon d'Automne. « Luxe, calme, Volupté » de Matisse. Formation, à Dresde, du groupe "Die Brücke".
La Place Clichy au tramway ?rt.	Mort de Cézanne. Exposition Gauguin au Salon d'Automne. Deuxième exposition particulière de Matisse, chez Druet.
	Rencontre Braque-Picasso; *Les Demoiselles d'Avignon.* Première exposition de Marquet, chez Druet. Rétrospective Cézanne au Salon d'Automne.
Nu à contre-jour (Bruxelles). *La loge.* *La glace du cabinet de toilette.* *Nu à la lampe.*	Exposition Braque chez Kahnweiler. Dufy et Braque travaillent dans le Midi.
Portrait de George Besson. *Portrait de Misia Godebska.*	Début des Ballets Russes de Diaghilev. Exposition Matisse à Moscou. Première manifestation du groupe "Der blaue Reiter" à Munich (Kandinsky-Franz Marc).
	Première exposition de Rouault à la Galerie Druet.

Grasse, 1912.

1910	Expose 34 peintures chez Bernheim Jeune.
1911	Nombreux séjours à Saint-Tropez, avec Signac. 27 peintures chez Bernheim. — Loue un atelier rue Tourlaque.
1912	Loue une maison à Saint-Germain-en-Laye, où habite avec Maurice Denis. Achète une petite propriété « Ma Roulotte » à Vernon, dans l'Eure, près de Giverny où il rencontre Monet. Séjour à Grasse.
1913	Expose chez Bernheim, et au Salon d'Automne. Voyage à Hambourg avec Vuillard. Débuts d'une crise qui durera quelques années : retour au dessin et à la composition.
1914	Séjourne au début de l'année à Saint-Tropez. Demeurera le plus souvent à Saint-Germain-en-Laye pendant la guerre.
1915	Peint surtout des portraits de femmes et des nus.
1916	Débuts des grandes compositions. — Août à Saint-Nectaire (Auvergne).
1917	Séjourne à Cannes en janvier, février, mars. Exposition chez Berheim (octobre-novembre).

Picasso, *Portrait de Vollard;* Costume d'acrobate du ballet « Parade ».

Panneaux pour le salon de Misia.

Picasso en Espagne, avec Derain.

Panneaux Méditerranée pour *Ivan Morosoff.*
Port de Saint-Tropez.

Salle réservée aux Cubistes, aux Indépendants et au Salon d'Automne.
Braque et Picasso l'été à Céret.

L'été en Normandie.
La Danse.

Premiers « collages » de Braque.
Exposition à Paris de la « Section d'or », organisée par Jacques Villon.
Paul Klee participe à l'exposition du groupe "Der blaue Reiter" à Munich.

La salle à manger de campagne.
Soir au bord de l'eau.
Printemps.
Automne.

Première exposition d'Utrillo chez Eugène Blot.
Matisse au Maroc, avec Marquet et Camoin.
Le Sacre du Printemps, de Stravinsky.

Exposition Matisse à Berlin.

Exposition Matisse à New York.

Grandes Compositions.

Mort d'Odilon Redon.

Le thé.

Décors et costumes de Picasso pour *Parade* (Jean Cocteau-Erik Satie).

1918	Passe l'été à Uriage.
	Le groupement de la Jeune Peinture française choisit Renoir et Bonnard comm‹
	Présidents d'honneur.
1919	Léon Werth publie chez Crès un livre sur Bonnard — comme François Fosc‹
	chez Kundig.
	Exposition Bernheim.
	Septembre à Luxeuil.
1920	Séjour à Arcachon, et Saint-Honoré-les-Bains (juin).
	Le *Prométhée mal enchaîné* d'André Gide paraît à la NRF avec les illustrations d‹
	Bonnard.
1921	A Saint-Honoré-les-Bains (juin).
	Séjourne à Saint-Tropez, et à Luxeuil (septembre).
	Fait un voyage de quinze jours à Rome.
	Expose 24 tableaux chez Bernheim, dont 4 grandes décorations peintes entr‹
	1916 et 1920.
1922	Séjourne à Cannes (janvier), Arcachon (septembre).
	Gustave Coquiot publie un livre sur Bonnard, édité par Bernheim Jeune.
1923	Compose surtout des natures mortes.
	Expose la « Terrasse de Vernon » au Salon d'Automne.
	Illustre les *Notes sur l'amour* de Claude Anet.
1924	La Galerie Druet organise une grande rétrospective de Bonnard (68 tableau‹
	de 1891 à 1922).
	Achève les 55 eaux-fortes pour *Dingo*, d'Octave Mirbeau, édité chez Vollard
	Étude de Cl. Roger-Marx sur Bonnard, pour la NRF.

Fernand Léger, Costume
pour les « Ballets » suédois.

...rands nus, très dessinés.	Exposition Matisse-Picasso chez Paul Guillaume.
...enlèvement d'Europe. ...u devant la cheminée (Win- ...rthur).	Mort de Renoir. Exposition Matisse chez Bernheim.
...a plage à marée basse. ...ométhée mal enchaîné ...ndré Gide).	Picasso peint des sujets « à l'antique », et Matisse sa série d'Odalisques. Rouault expose à la galerie « La Licorne ».
...a Place du Peuple à Rome. ...a fenêtre ouverte.	Décors et costumes de Fernand Léger pour les « Ballets suédois ».
...eurs des champs.	Derain expose à Berlin, Francfort et Munich. Salle réservée à Braque au Salon d'Automne.
...a terrasse de Vernon. ...ature morte au compotier. ...e Port de Cannes.	Importante exposition de Raoul Dufy à Bruxelles. Décors de Braque pour les « Ballets russes »
...a chevelure d'or. ...ingo (Octave Mirbeau). ...romenade en mer.	« Manifeste Surréaliste » d'André Breton. Rétrospective Rouault à la Galerie Druet. Les statuettes de Maillol occupent une vitrine spéciale au Salon d'Automne.

 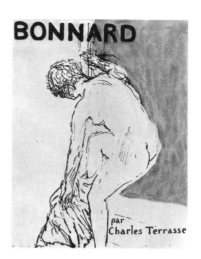 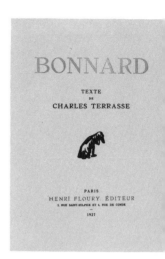

	1925	Achète au Cannet la villa « Le Bosquet ».
	1926	Membre du jury Carnegie, fait un court séjour aux États-Unis. Expose 20 peintures chez Bernheim.
	1927	Charles Terrasse publie son *Bonnard* chez Floury — avec un *Essai de catalogue* *l'Œuvre gravé et lithographié de Pierre Bonnard* par Jean Floury.
	1928	Expose 40 peintures chez de Haucke à New York. Peintures chez Bernheim.
	1929	Participe à l'Exposition d'Art français à Bruxelles.
	1930	Séjourne à Arcachon. Parution de la *Vie de Sainte Monique* de Vollard (dessins et eaux-fortes).
	1931	Nouveau séjour à Arcachon.
	1932	Grande exposition Bonnard-Vuillard au Kunsthaus de Zürich.
204	1933	Expose chez Bernheim, et 40 portraits à la Galerie Braun.

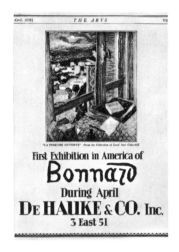

1933

Exposition de 1933 à la Galerie Bernheim Jeune.

La table (Tate Gallery, Londres).
La salle à manger (Copenhague).
La fenêtre (Marie).

Gromaire expose *La Guerre* aux Indépendants.
André Masson participe aux activités du groupe surréaliste.

La Palme.
Paysage du Cannet (Winterthur).

Mort de Claude Monet.

Matisse reçoit le Prix Carnegie.

Le café du Petit Poucet.

Picasso commence les illustrations des *Métamorphoses* d'Ovide, pour l'éditeur A. Skira.

La salle à manger (New York).
Le pot provençal.
Paysage de Normandie (Northampton).

Matisse illustre les *Poésies* de Mallarmé pour A. Skira.

Le cabinet de toilette.
Le petit déjeuner (Petit Palais).

Nu devant la glace (Venise).

Rétrospective Braque à Bâle (avril).

205

1933   Octobre, novembre, décembre : La Baule.

1934   En avril à La Baule — En juin-septembre, débuts de séjours au bord de la Manche (Bénerville-sur-Mer - Trouville - Deauville).
Expose 44 peintures à la Galerie Wildenstein, à New York.

1935   Séjour à Deauville.

1936   Reçoit le Deuxième prix Carnegie.
Présente 19 peintures à une Exposition Bonnard-Vuillard chez Paul Rosenberg à Paris.
En août à Deauville.

1937   Séjourne à Deauville, où il accorde une importante interview à Ingrid Rydgbeck pour la Konstrevy de Stockholm.

1938   Séjourne à Deauville (mai-juin).

1939   Se retire au Cannet, il ne reviendra à Paris qu'à la fin des hostilités.

1940

1941   La Galerie Pétridès présente 12 peintures de Bonnard.

a porte-fenêtre.
'intérieur blanc.
e placard rouge.

Rétrospective Maillol à Bâle (août-sept.).

able servie et jardin.

Rétrospective Derain à Berne.
Tauromachies de Picasso.

oin de table (Musée d'Art
Moderne, Paris).

Parution de bois gravés et lithographies de Maillol pour
L'Art d'aimer d'Ovide.

Nu dans le bain (Petit Palais).

Salle Rouault au Petit Palais.
Guernica de Picasso.
Braque reçoit le prix Carnegie.

e Port de Trouville.

Mort de Vollard.
Exposition Despiau-Maillol à Boston.

Paysages du Cannet

Mort de Vuillard.

BONNARD
Seize Peintures
1939-1943

INTRODUCTION DE
ANDRÉ LHOTE

LES ÉDITIONS DU CHÊNE - PARIS
1944

PIERRE BONNARD
ou
LES VERTUS
DE LA LIBERTÉ

PAR
FRANCIS JOURDAIN

ÉDITIONS D'ART ALBERT SKIRA
GENÈVE

1942   Décès de Marthe Bonnard, le 26 janvier.

1943   La Galerie Pétridès montre 18 peintures de Bonnard.
Revient à la lithographie en couleurs à la demande de Louis Carré.

1944   Les Éditions du Chêne publient un recueil de 16 peintures de Bonnard, avec un
texte d'André Lhote.
Pierre Bérès organise une exposition de son œuvre lithographique, où l'on voit
aussi des dessins et des aquarelles.

1945   Revient à Paris, du 1er au 8 juillet.
Présente 10 tableaux à une exposition de peintures contemporaines au Château
de Fontainebleau. Sa nièce Renée Terrasse revient avec lui au Cannet.

1946   Nouveaux séjours à Paris et à Fontainebleau (juillet et octobre) où il achève Le
Cheval de cirque, et L'atelier au mimosa.

1947   23 janvier — Décès de Pierre Bonnard au Cannet.

La porte-fenêtre ouverte, au Cannet.

Natures mortes.

Matisse commence les illustrations des *Amours* de Ronsard pour Skira.

Mort de Maurice Denis.
Salle réservée à Braque au Salon d'Automne.

Mort de Xavier Roussel.
Exposition Jacques Villon chez Louis Carré.

Paysage du Cannet au toit rouge.
Grand paysage du Cannet (Milwaukee).

Exposition Nicolas de Staël à la Galerie Jeanne Bûcher.
Exposition « Bazaine-Estève-Lapicque » chez Louis Carré.

L'Avant-midi.
Le cheval de cirque.
L'atelier au mimosa.
La salle à manger du Cannet.

Exposition Braque-Rouault, Tate Gallery, Londres.

L'amandier en fleur.

BIBLIOGRAPHIE GÉNÉRALE SOMMAIRE

MONOGRAPHIES

François Fosca, Kundig, Genève; Crès, Paris, 1919.
Léon Werth, Crès, Paris, 1919; 2e édition, 1923.
Gustave Coquiot, Bernheim Jeune, Paris, 1922.
Claude Roger-Marx, N.R.F., Paris, 1924.
Charles Terrasse, Floury, Paris, 1927, avec un *Essai de catalogue de l'Œuvre gravé et lithographié de Pierre Bonnard*, par Jean Floury.
George Besson, Braun, Paris, 1934.
André Lhote, *Seize peintures de Bonnard, 1939-1943*, Ed. du Chêne, Paris, 1944.
Pierre Courthion, *Bonnard, peintre du merveilleux*, Marguerat, Lausanne, 1945.
Francis Jourdain, *Bonnard ou les vertus de la liberté*, « Les Trésors de la peinture française », Skira, Genève, 1946.
François-Joachim Beer (préface de Raymond Cogniat, texte de Louis Gillet), Paris, 1947.
John Rewald, The Museum of Modern Art, New York, 1948.
Claude Roger-Marx, Fernand Hazan, Paris, 1950.
Thadée Natanson, *Le Bonnard que je propose*, Cailler, Genève, 1951.
Claude Roger-Marx, *Bonnard lithographe*, André Sauret, Monaco, 1952.
Denys Sutton, The Faber Gallery, 1957.
Annette Vaillant, Ides et Calendes, Neuchâtel, 1965.

OUVRAGES GÉNÉRAUX

Maurice Denis, *Théories*, Rouart et Watelin, Paris, 1920.
Élie Faure, *L'Art Moderne*, 1927.
Ambroise Vollard, *Souvenirs d'un marchand de tableaux*, Albin Michel, Paris, 1937.
René Huyghe, *La Peinture française — Les contemporains*, Pierre Tisné, Paris, 1939.
Maurice Raynal, *Peintres du XXe siecle*, Skira, Genève, 1947.
Maurice Raynal, Herbert Read, Jean Leymarie, *De Baudelaire à Bonnard*, « Histoire de la Peinture moderne », Skira, Genève, 1949.
Agnès Humbert, *Les Nabis et leur époque*, Cailler, Genève, 1954.
Claude Roy, *L'amour de la peinture*, Gallimard, Paris, 1956.
Bernard Dorival, *Les peintres du XXe siècle*, Pierre Tisné, Paris, 1956.

Jean Bazaine, *Notes sur la peinture d'aujourd'hui*, Ed. du Seuil, Paris, 1960.
John Rewald, *Le Post-Impressionnisme — De Van Gogh à Gauguin*, Albin Michel, Paris, 1961.

PRINCIPAUX ARTICLES DE REVUES ET DE JOURNAUX

Gustave Geffroy, *La vie artistique*, 1891.
J. Daurelle, « Chez les jeunes peintres », *Écho de Paris*, 28 décembre 1891.
Gustave Geffroy, *Le Journal*, 8 janvier 1892.
G. Albert-Aurier, « Les Symbolistes », *Revue encyclopédique II, N° 32*, avril 1892.
Roger-Marx, « L'art décoratif et les symbolistes », *Le Voltaire*, 23 avril 1892.
Idem, « Les Indépendants », *Le Voltaire*, 28 mars 1893.
Thadée Natanson, « IXᵉ Exposition de la Société des artistes indépendants », *La Revue Blanche*, avril 1893. Idem, *La Revue Blanche*, janvier 1896.
André Mellerio, « L'estampe en 1896 », *L'estampe et l'affiche, I*, 1897.
Idem, « La lithographie originale en couleurs », *L'estampe et l'affiche*, 1898.
André Fontainas, « Art Moderne », *Le Mercure de France*, mai 1898.
Thadée Natanson, « Une date de l'histoire de la peinture française », *La Revue Blanche*, 1ᵉʳ avril 1899.
Idem, « Des peintres intelligents », *La Revue Blanche*, mai 1900.
Fagus, « L'art de demain », *La Revue Blanche*, 1902.
André Gide, « Promenade au Salon d'Automne », *Gazette des Beaux-Arts*, décembre 1905.
E. Heilbut, « Lithographien von P. Bonnard, *Kunst und Künstler*, 1906.
Henry Bidou, « Le Salon d'Automne », *Gazette des Beaux-Arts*, Paris, 1910.
Thadée Natanson, « Profil : Pierre Bonnard », *La Vie*, janvier 1912.
Lucie Cousturier, *L'art décoratif*, Paris, 1912.
Élie Faure, « A propos d'une exposition Bonnard », *Cahiers d'Aujourd'hui*, Paris, juin 1913.
Louis Vauxcelles, *Le Carnet des Artistes*, mars 1917.
Claude Roger-Marx, « Bonnard illustrateur et lithographe », *Art et Décoration*, 1923.
Julius Meier-Graefe, *Ganymed*, 1925.
Waldemar George, « Pierre Bonnard and the impressionists, *Drawing and Design*, août 1927.
Walter Gutman, *Art in America*, août 1928.
René Édouard-Joseph, « Bonnard », *Dictionnaire biographique des artistes contemporains*, 1930.
Duncan Phillips, *The artist sees differently ; essays based upon the philosophy of a collection in the making*, E. Weyhe, New York, 1931.

Germain Bazin, « Bonnard » (notice sur le peintre de Ch. Sterling), *L'Amour de l'Art*, 1933.

Claude Roger-Marx, « Bonnard ou l'Œil émerveillé, *L'Europe nouvelle*, 23 janvier 1933.

Pierre Courthion, « Impromptus — Pierre Bonnard », *Les Nouvelles Littéraires*, 24 juin 1933.

Raymond Cogniat, « Autour de Matisse et de Bonnard », *L'Amour de l'Art*, mai 1933.

Jean Cassou, *Arts et Métiers graphiques*, avril 1935.

George Besson, « Aspects de la peinture contemporaine », *Le Point*, 1936.

Ingrid Rydbeck, « Hos Bonnard i Deauville, » *Konstrevy*, Stockholm, 1937.

Erik Blomberg, *Konstrevy*, Stockholm, juin 1939.

John Rewald, « For Pierre Bonnard on his seventyfifth birthday, *Art News*, New York, octobre 1942.

Marguette Bouvier, « Bonnard revient à la litho »... *Comœdia*, 23 janvier 1943.

André Giverny, *La France Libre*, 15 mai 1943.

Gaston Diehl, « Bonnard dans son univers enchanté », *Comœdia*, 10 juillet 1943.

Jean Leymarie, « Présence de Bonnard », *L'Amour de l'Art*, 1946.

Charles Terrasse, *Art News*, Nº XXVIII, New York, 1959.

Jean Clair, « Bonnard ou l'espace du miroir », *La Nouvelle Revue Française*, mars 1967.

André Fermigier, « Bonnard », *Les Temps Modernes*, mars 1967.

REVUES AYANT CONSACRÉ A BONNARD
DES NUMÉROS SPÉCIAUX

Le point, articles de Maurice Denis, René Marie (Francis Jourdain), George Besson, Charles Terrasse, 1943.

Formes et Couleurs, articles de André Lhote, Stanislas Fumet, Charles Terrasse, Jean Bazaine, J. de Laprade, 1944.

Les Publications techniques et artistiques, articles de Léon Werth, Thadée Natanson, Léon Gischia, Gaston Diehl, 1945.

Verve, « Couleur de Bonnard », avec la collaboration de Charles Terrasse, Tériade, Angèle Lamotte, Notes du « Carnet » de Bonnard, 1947.

Film : *Bonnard*, par Lauro Venturi.

PRINCIPALES EXPOSITIONS

Salon des Indépendants, Paris 1891, 1892, 1893, 1901, 1902, 1903, 1920, 1923, 1926, 1927, 1947.
Salon de la Libre Esthétique, Bruxelles, février 1896.
Salon d'Automne, Paris, 1903, 1904, 1905, 1908, 1911, 1912, 1913, 1919, 1923, 1925, 1927, 1928, 1946 (12 peintures).
Saint-Germain-en-Laye, août-septembre 1891, août 1892.
Le Barc de Boutteville, Paris, décembre 1891, novembre 1892, octobre 1893, mars et juillet 1894.
Ambroise Vollard, Paris, avril 1897, avril 1898.
Durand-Ruel, Paris (en hommage à Odilon Redon), mars 1899.
Bernheim Jeune, Paris, avril 1900, mai 1902, 1904, 1907.
Galerie Druet, Paris, novembre 1903.
Kunsthaus, Zurich, Exposition d'art français, 1913.
Copenhague, Exposition d'art français du XIXe siècle, 1914.
Winterthur, Exposition d'art français, 1916.
Paris, 50 ans de peinture française, mai 1925.
Prague, Société Manes, 1926.
Bruxelles, Exposition d'art français, avril 1929.
New York, Painting in Paris, janvier 1930.
Bruxelles, Artistes de Paris, février 1935.
Londres, Galerie Reid et Lefebre, mai 1935.
Boston, La vie française, 1935.
Paris, Exposition des peintres de la Revue Blanche, 1936.
Londres, Tooth and Sons, mai 1937.
Paris, Durand-Ruel, 1938.
Amsterdam, 1939.
New York, Weyhe Gallery, mai 1942.
Paris, Musée National d'Art Moderne, Bonnard, Vuillard et les Nabis, 1955.

Paris, Durand-Ruel, janvier 1896.
Paris, Bernheim Jeune, 1906, 1909, 1910, 1911, 1912, 1913, 1917, 1919, 1921, 1926, 1928, 1933.

Paris, Galerie Druet (rétrospective), avril 1924.
New York, De Haucke and C°, avril 1928.
Zurich, Kunsthaus (Bonnard-Vuillard), 1932.
Paris, Galerie Braun (40 portraits), juin 1933.
New York, Galerie Wildenstein, mars 1934.
Paris, Galerie Rosenberg (Bonnard-Vuillard), décembre 1936.
Paris, Durand-Ruel (avec Laprade-Bouche), mars 1939.
Stockholm, Svensk Fransk Konstgalleriet (rétrospective), mars 1939.
Paris, Galerie Rodrigues-Henriques (avec Van Dongen), juin 1939.
Paris, Galerie Pétridès, juin 1941, juin 1943.
Paris, Pierre Bérès (l'œuvre graphique), décembre 1944.
Paris, Galerie Rodrigues-Henriques (avec Marquet), novembre 1945.
Paris, Bernheim Jeune (rétrospective), juin 1946.
Copenhague, Ny Carlsberg Glyptotek, mai 1947.
Amsterdam, Stedelijk Museum, juin-juillet 1947.
Stockholm, Svensk Fransk Konstgalleriet, septembre 1947.
Paris, Orangerie, octobre-décembre 1947.
New York, Museum of Modern Art, 1948.
Zürich, Kunsthaus, juin-juillet 1949.
Paris, Bernheim Jeune, mai 1950.
Rotterdam, Musée Boymans, mars-avril 1953.
Lyon, Musée des Beaux-Arts, juillet-septembre 1954.
Milan, Palazzo della Permanente, avril-mai 1955.
Bâle, Kunsthalle, mai-juillet 1955.
New York, Museum of Modern Art, Los Angeles, County Museum, et Chicago, « Bonnard
    ans his Environment », 1964-1965.
Londres, Royal Academy of Arts, janvier-mars 1966.
Munich, Haùs der Kunst, octobre-décembre 1966.
Paris, Orangerie des Tuileries, janvier-avril 1967.
Marseille, Musée Cantini, mai-juin 1967.

INDEX DES NOMS CITÉS DANS LE TEXTE

217

TABLE ET RÉFÉRENCES DES ILLUSTRATIONS

121 *La terrasse*. 1923. Toile. 1,18 × 1,03. Collection particulière, Paris.

122 *Promenade en mer*. La famille Hahnloser. 1924-1925. Toile. 0,98 × 1,03. Ancienne collection Hahnloser-Bühler, Winterthur.

123 *Le port de Cannes*. 1923. Toile. 0,72 × 0,61. Collection particulière, Paris.
La Croisette, Cannes. Vers 1925. Toile. 0,27 × 0,54. Collection particulière, Paris.

125 *Autoportrait*. 1926. Mine de plomb et plume. 0,14 × 0,17. Collection particulière, Paris.

126 *Paysage de Normandie*. 1930. Toile. 0,62 × 0,81. Smith College Museum of Art, Northampton.

127 *Paysage près de Vernon*. Vers 1930. Mine de plomb. 0,12 × 0,16. Collection particulière, Fontainebleau.

128 *Le Cannet sous la neige*. Vers 1927. Toile. Collection particulière, Winterthur.

129 Eau-forte pour « Dingo », édité par Ambroise Vollard. 1924.

130 *La Seine près de Vernon*. 1926. Toile. Collection particulière, Paris.

131 *La Palme*. 1926. Toile. 1,12 × 1,46. The Phillips Collection, Washington.

132 *Panier de fruits*. 1930. Mine de plomb. 0,12 × 0,15. Collection particulière, Fontainebleau.

133 *Les iris*. Vers 1930. Gouache. 0,50 × 0,33. Collection Antoine Sapiro, Paris.
Barques au bord de l'océan. 1930. Aquarelle et gouache. 0,13 × 0,20. Collection Antoine Sapiro, Paris.
Panier de fruits. 1930. Gouache. 0,28 × 0,38. Collection de Mme Marianne Feilchenfeldt, Zurich.

135 *Le café du Petit Poucet*. 1928. Toile. 1,34 × 2,04. Collection George Besson, Paris.

138 *La porte-fenêtre*. 1933. Toile. 0,86 × 1,12. Collection particulière, Paris.

140 *Intérieur blanc*. 1933. Toile. 1,09 × 1,56. Musée de Grenoble.

142 *Coin de salle à manger; Le Cannet*. Vers 1930. Gouache. 0,50 × 0,32. Collection particulière, Paris.

143 *Le placard rouge*. Vers 1933. Toile. 0,81 × 0,65. Collection Roger Hauert, Paris.

146 *Table servie et jardin*. Bénerville-sur-mer. 1934. Toile. 1,27 × 1,355. Solomon R. Guggenheim Museum, New York.

147 *Coin de table*. 1935. Toile. 0,67 × 0,63. Musé national d'Art moderne, Paris.
Table servie et jardin, (détail).

148 Page d'agenda. (27 et 28 octobre 1934). Esquisse d « Coin de table ».

150 Page d'agenda (15 juin 1937). Esquisse pour u « Nu dans le bain ».
Pages d'agenda (26, 27, 28 février 1938). Étude a crayon pour un « Nu dans le bain ».

152 *Nu dans le bain*. 1937. Toile. 0,93 × 1,47. Musé du Petit Palais, Paris.

154 *Paysage*. Mine de plomb. Vers 1930. 0,16 × 0,12 Collection particulière, Paris.

156 *Panier de fruits*. Vers 1935. Gouache. 0,32 × 0,4 Collection Maurice Coutot, Paris.

157 *Le bateau jaune*. 1938. Toile. 0,58 × 0,76. Collectio Charles Zadok, New York.

159 *Paysage méditerranéen*. 1935-1940. Toile. 0,63 × 0,5 Collection particulière.

160 *Paysage*. Mine de plomb. Vers 1930. 0,19×0,13 Collection particulière, Paris.

162 *Paysage du Cannet*. 1945. Toile. 0,95 × 1,25. Mi waukee Art Center, Milwaukee. (Don de M. Mme Harry Lynde Bradley.)

164 *Le dessert*. 1940. Toile. 0,46 × 0,65. Fondatio Sonja Henie et Niels Onstad, Oslo.

165 *Roses*. 1943. Toile. 0,37 × 0,40. Collection d Mlle Renée Terrasse, Paris.
Nature morte. Vers 1942. Toile. 0,30 × 0,48. Collec tion Maurice Coutot, Paris.

169 *Saint François de Sales*. 1942-1945. Toile. Église d'Assy

172 *L'avant-midi*. 1946. Toile. 1,26 × 0,71. Collectio de Mlles Bowers, Paris.

173 *La montagne bleue*. 1943. Lithographie en couleur Collection Louis Carré, Paris.

174 *Paysage du Midi*. Vers 1944. Dessin. 0,13 × 0,1 Collection A. Sapiro, Paris.

175 Page d'agenda (17 janvier 1944).

177 *Paysage du Midi*. Vers 1943. Mine de plomb 0,16 × 0,25. Collection Édouard Charles, Pari

178 *Paysage du Cannet*. Vers 1945. Toile. 0,55 × 0,38 Collection Silvan Kocher, Soleure.

180 *Paysage du Cannet au toit rouge*. 1945. Toile. 0,64 × 0,57 Collection particulière, Paris.

182 *Autoportrait.* 1945. Toile. 0,56 × 0,46. Collection de M. et Mme Donald S. Stralem, New York. Pages d'agenda (29, 30 janvier 1934). Études pour « Le Cheval de cirque ».

183 *Le cheval de cirque.* Terminé en 1946. Toile.

0,93 × 1,17. Collection Charles Terrasse, Paris.

189 *L'amandier en fleur.* 1947. Dernière toile de l'artiste. 0,55 × 0,37. Musée national d'Art moderne, Paris.

TABLE ET RÉFÉRENCES
DES PHOTOGRAPHIES

PROVENANCE DES ILLUSTRATIONS

Galerie Bernheim Jeune : pp. 53 (haut), 56 (milieu), 76, 100, 113. *Coll. George Besson :* pp. 94 (droite), 96 (bas), 115. *Bibliothèque Nationale :* p. 44. *Brassaï :* pp. 116 (bas), 117 (droite), 171, 185, 186, 187. *Collection Alfred Bussy :* p. 99. *H. Cartier-Bresson (Magnum) :* pp. 8, 145, 166 (bas) ; 167, 168. *Giraudon :* p. 54. *Held (Lausanne) :* p. 122. *Josse-Lalance :* pp. 14, 18, 19, 21, 25, 26, 27, 34, 36, 38, 39, 40, 41, 43, 45, 52, 55, 56 (haut et bas), 57, 62, 67, 72, 74, 77, 79, 83, 84, 85, 87, 93, 95, 96 (haut et droite), 101, 103 (haut), 104, 105, 106, 110, 114, 118, 119, 121, 123, 125, 126, 127, 129, 130, 131, 132, 133, 135, 138, 140, 142, 143, 146, 147, 148 (gauche), 150, 152, 156 (haut), 157, 159, 162, 164, 165, 173, 177, 178, 180, 182, 183, 189. *Minneapolis Institute of Art:* p. 98. *Jean Mohrt (Genève) :* p. 169. *Novosti (Moscou) :* pp. 78, 81, 90. *Ny Carlsberg, Glyptotek (Copenhague) :* p. 112. *André Ostier :* pp. 166 (haut), 176. *Réunion des Musées Nationaux :* pp. 32, 97. *Rogi André :* pp. 148 (droite), 151, 155, 156 (bas), *Skira :* pp. 42, 47. *Varga :* pp. 22, 37, 49, 50, 65, 68, 175. *Vizzavona :* p. 108. *Wildenstein :* pp. 29, 31, 172.

Chronologie.

Bibliothèque des Arts décoratifs : p. 192 (droite). *Bibliothèque Nationale :* pp. 192 (gauche), 195 (droite), 197 (droite). *Bibliothèque de l'Opéra :* p. 203. *Brassaï :* p. 209. *Giraudon :* pp. 193, 196, 201. *Georges Sirot :* pp. 195 (gauche), 196 (gauche), 198.

Réalisé d'après les maquettes de Pierre Bénard, cet ouvrage, composé en Baskerville corps 14, a été achevé d'imprimer le 15 septembre 1967, sur vélin Centaure des Papeteries Arjomari, par les Établissements Braun à Mulhouse pour les illustrations noires et couleurs. L'impression des sanguines et des sépias a été effectuée par l'Imprimerie Genèse à Paris. La reliure a été exécutée par Babouot.

N° d'édition : 12772 ; dépôt légal : 3e trimestre 1967 ; imprimé en France.